U0126808

《歸藏》易——中國失落的開端

趙衛民　著

臺灣學生書局印行

后羿射日（序）

　　年輕時頗喜歡一句俄國的諺語：「含有真理的一個字，比整個俄羅斯更重。」故對哲學的沈思，常集中在基本概念中；兩個哲學家的概念，就可以在類似與差異間比較。

　　當老子說：「道生之，德蓄之，物形之，勢成之。」就可以有道、德、物、勢四個基本概念。孔子說：「志於道，據於德，依於仁，遊於藝。」又可以有道、德、仁、藝四個基本概念。為何兩大哲學宗師竟有道、德兩個基本概念相同？不能不使人驚訝莫名！同樣，當在莊子哲學中找出道、德、物、形四個基本概念時，以「形」取代老子「勢」的概念，就產生有趣的比較關係！而在孟子哲學中找出心、性、天三個概念，很精確地表現出孔子道、德、仁三者之間的關係，他的緊張氣正來自於少了孔子「藝」的概念。

　　對哲學家來說，基本概念是他們畢生的沈思，我們只能像逞惑的旅人逡巡前進，甚至奇怪的是：他們的「開篇」常像「奧義書」，讀 20 年也抓不住準頭。孟子是個例外。

　　概念是思想的結晶，意象是感受的結晶。面對《周易》時〈乾〉、〈坤〉兩卦的龍和馬到底想表現什麼？按其順序，〈乾卦〉皆龍，〈坤卦〉除了卦辭談馬外，前五爻除了是生命哲學不能是其他，〈上六〉卻出現「龍戰於野，其血玄黃」這麼雄辯甚

至崇高的意象。這種排列的順序很不自然，《周易》有偽造的痕跡。終於我確定《周易》的〈乾〉、〈坤〉兩卦只能「顛倒看」！然後，只能是《歸藏》易！至於《易傳》，是儒家的大創造，文筆崇高有力，但「龍戰於野」的這條龍居然是「陰」冒充自己為龍，與陽爭戰，然後自己受傷流血，變成閨房大戲！荒謬！

《五經》在《傳》的附麗之下，如《春秋三傳》、《二禮》的《周禮》、《儀禮》、《禮記》等，把中國歷史弄成個大蘑菇頭，一個沈重的源頭！

還是要特別感謝學生書局顧問陳仕華教授慨允推薦，及陳蕙文主編等的優秀團隊。學弟楊宗翰教授、陳穎雋博士生在事務上多方協助。內子張修文及我兒趙君崟多年的寬容。

趙衛民 於淡江大學中國文學系

2020 年 9 月

《歸藏》易──中國失落的開端

目　次

前　言

　　我因讀尼采哲學，對康德哲學和儒家哲學保持了一定的距離。我因讀海德格哲學，確定了道家哲學系統；並確定〈乾〉、〈坤〉兩卦是存有（道）的運動，並覺得〈坤卦〉應在〈乾卦〉前面。我因讀德勒茲哲學，進一步確定了莊子哲學的特殊性；也因為他所謂「概念思惟」的特殊性，更確定了《周易》的「乾坤大挪移」！

　　殷商的真理（道）在《歸藏》易！周朝只把《歸藏》易中〈乾卦〉和〈坤卦〉顛倒，完成了周朝的真理，即《周易》！《歸藏》易是一套生命哲學，《周易》是一套道德哲學，且是「偷天換日」。

　　老子承襲《歸藏》易的精神，是道家哲學開山人物，他的學生孔子承襲《周易》，是儒家哲學開山人物；晚年對其摸索、玩味，《易傳》是其與弟子敷演、創造！

　　年輕時讀《周易》，〈乾卦〉卦、爻辭皆美，無論「潛龍勿用」、「見龍在田」、「或躍在淵」、「飛龍在天」、「亢龍有悔」甚至〈用九〉「群龍無首」，這種意象思惟引人入勝。〈坤卦〉卦、爻辭也皆美，在實踐上的提撕似呈現生命的智慧，但在

〈上六〉爻辭卻孤懸著「龍戰於野，其血玄黃。」與〈乾卦〉的龍隔著〈坤卦〉前五爻，這種孤懸使之成為「孤龍」；而且這是最美麗、最雄辯的意象，不應如此無所傍依。到《易傳》更不合理，從〈初六〉就說是陰氣重，到〈上六〉竟然《象傳》說：「龍戰於野，其道窮也。」龍戰成為窮途末路，或者〈文言〉說：「陰疑於陽必戰，為其嫌於无陽也，故稱龍焉，猶未離其類也，故稱血焉。」到〈上六〉陰氣太盛，不肯從陽故大戰，為恐疑無陽，才稱自己為龍，但還是陰類，受傷慘重。不但是條「假龍」，而且演變成夫妻閨房大戰的一齣戲碼，而且是太太別與先生鬧的道德劇，殊不合理。

　　《易傳》的荒誕固不合理，《周易》的順序也是有人為操作的痕跡！如果〈坤卦〉在〈乾卦〉之前，龍的意象思惟就連成一氣，如果概念思惟說得通的話，那麼周文王只更動了順序，《歸藏》易的順序，即孔子所謂的《坤乾》，而並沒有「創造」，是偷天換日！即連孔子看到《坤乾》，也不認為是殷商之道的《歸藏》易。故今斷定：周文王只調動了〈乾〉、〈坤〉兩卦的順序，只要恢復原順序，《歸藏》易就躺在我們眼皮底下！

　　《歸藏》易的發現，至少使我們哲學智慧推前至商朝五、六百年，甚至更推前一千年到黃帝思想的「伏流」，史稱黃、老，這是民間沈澱的生活智慧！概念俱在，不容否認！

　　再來，如果孔子之眼錯過《坤乾》──所謂《歸藏》易，當然易錯過老子的哲學概念。孔子自云：「吾述而不作，信而好古，竊比於我老彭。」江琅即認與莊子說孔子問禮於老聃頗相合。《禮記》也記孔子：「昔者吾從老聃助葬於巷黨。」還是孔子年十七之時。至於《史記》說孔子見老子後三日不言，「吾今

日見老子，其猶龍耶！」龍豈非是深藏莫測、見首不見尾嗎？

　　其實老子、孔子俱為大哲學家，若以基本的哲學概念思惟入手，此師生關係即可定位。老子是道家宗師，「道生之，德蓄之，物形之，勢成之。」有道、德、物、勢四個基本概念。孔子是儒家宗師，卻也有「志於道，據於德，依於仁，遊於藝。」有道、德、仁、藝四個基本概念。竟有最優位的兩個概念相同，不是師生才奇怪！孔子學說三十而立，那是仁學，陸象山說得清楚：「孔子以仁發明斯道」，至於道的體會要到「五十而知天命」，故他的道是超越性，甚至後來等同於文化道統——「文王既歿，文不在茲乎！」這與老子有概念的展開不同。至於德的概念，「天生德於予」，好像是特異性，不是人人皆有的道德性。「為政以德，譬如北辰，居其所而眾星拱之。」好像是人人皆有的內在道德性。但「里仁為美」又有些特殊文化環境的意思！德的概念不是穩定的概念，至少是學習、揣摩的過程。

　　二十世紀的西潮，拉開了地理橫向的廣度，造成中西思潮會通。要有創造的會通，動力在於「出去了、再回來！」西方十九、二十世紀思潮之洶湧澎湃，至少 1950 年以前的思潮中海德格「長得很像」中國的老子，1950 年以後的思潮中德勒茲「長得很像」中國的莊子。奇怪的對稱！未迎上與西潮會通的學思，只有擱淺一途。如今二十一世紀，五四剛過去百年，創造的動力因「地球村」逐漸形成，「在家就是在世界，在世界就是在家！」而我們挖掘開的歷史縱深，彷彿天文夐遠的幻麗星象，使遠古的智慧宛若眼前！

　　我們射下舊日的太陽，使它暫時降溫而已！我已證成了《歸藏》易全書的存在，只是《周易》的〈乾〉、〈坤〉倒轉而已！

全部卦爻辭都完好如初！后羿射下了九顆太陽，我們反而要思索中西思潮會通，應該能激盪出新創造的可能性。

如果不以詩人之眼，很難看出其中的意象思惟；如果不以哲學之眼，很難看出其中的概念思惟。如果不是中西思潮會通，也很難理解中國古代原有的奧義，而古經重現天日！

導論：概念歷史

〈第一章　跨亞洲之眼──兩次西潮〉

離二十世紀的五四運動已是百年，可以藉「西潮」來形容。百年來學習西潮的人，重在新思潮力量的衝擊，是西潮也是新潮。故而隨著一波波新思潮掀起新頁，中國留學歐美的學者「出去了、再回來！」就成為一代的領航者。這構成了中國的「文藝復興」運動。在二十世紀初時，我們對西方思想的學習是同步的，杜威、羅素都來中國講學過；另外如柏格森、佛洛伊德、懷海德、胡塞爾、海德格，都成為我們新世界的眼界。

不是西化得不夠徹底，而是帶回來的中西思潮會通，正如尼采有「跨歐洲之眼」，海德格尋找歐洲思潮「另一個開端」。橫貫性思潮的撞擊，所帶來對縱貫性思潮的巨大衝擊，會動搖原本的慣性；這是力量與力量的關係，或是入侵或是匯流壯大！

歷史上曾有另一次「西潮」，一代文宗韓愈因諫迎佛骨入京一事，觸怒唐憲宗，可見在隋唐時代佛學思想力量之大。魏晉玄學作為「新道家」，在廣度量上並未能與隋唐佛學的深度量產生有意義的交換，故未匯流壯大。而中國為消融佛教，至少花費千年以上的時間，至佛法中國化的華嚴宗、天台宗、禪宗為止。思想是一條長河，因匯流而壯大，沒有創造性的思潮就消退、淤積。宋明理學作為「新儒家」，與佛家、甚至與道家並未產生有

意義的會通。

　　五四的「文藝復興」因中日戰爭、國共內戰而中斷，新儒家對中國儒、釋、道哲學產生有力的論述，是因融通、消化了西方哲學，如康德、黑格爾，或懷海德、胡塞爾，新一代則以海德格（或詮釋學）為目標，但到後結構主義思潮這股巨浪，則有些末世紀的乏力之感，稍無法再全面吸收、消化。

〈第二章　超古代之眼──從《歸藏》易到老子〉

　　四書五經作為儒家經典著作，也成為古代文化的開端。《大易》為群經之首，首先指的《周易》。但在歷史上有《三易》：《連山》、《歸藏》、《周易》，分別對應著部落社會、母系社會、父系社會。其中原始社會由母系氏族發展而來，近幾千年才成為父系社會。《周易》一般認為成書於周文王時代，只有〈卦辭〉、〈爻辭〉，經文太簡，才有戰國時代孔門《易傳》以後持傳解經。《周易》為哲理之書，而《歸藏》易淪為神話類編或占卜，完全不相類。對孔子來說，夏朝的文獻能在杞國見到的是夏曆，殷商的義理在宋國見到的是《坤乾》。很可能只是〈乾〉、〈坤〉兩個大卦的排列方式有異，與《周易》也看不出其他的差別，孔子悵悵然而歸，覺得這《歸藏》易也無足為奇。孔子沒有老子之眼，看不出其中的「眉角」。

　　《坤乾》的排列方式異於《周易》，那麼要看《坤乾》的排列方式有無意義！殷商（前 1600 年－前 1046 年）之前有漫長的母系氏族社會，殷商也大致在母系氏族社會。《歸藏》易的形成需多少世代累積的智慧！何況前面還有《連山》。周文王只需把〈乾卦〉放在〈坤卦〉前面，就偷天換日地把《歸藏》易換成了《周易》，確立了父系社會的正統性。

　　無論在意象思惟，還是在概念思惟上，「龍戰於野，其血玄黃」都是最雄辯的意象，也應有最豐富的概念涵義。但放在〈乾卦〉之後，又隔著五爻，直到〈上六〉出現，殊不合理。故〈乾卦〉的龍可以借喻君子進德修業、奮進不已的精神象徵；一旦隔了五爻，且在〈坤卦〉，龍的意思便旁落了，甚至有「血」，看來有貶義。龍的意思在〈乾卦〉、〈坤卦〉就變成很難一致。演變到《易傳・文言》：「陰疑於陽必戰，為其嫌於无陽也，故稱龍焉。」龍在〈坤卦〉成為「假龍」：怕人嫌「无陽」，假稱為龍。毋乃太過乎！何其不類也。我在《簡明中國哲學史》中將《易經》與《易傳》分開講述，《易經》雖按《周易》〈乾〉、〈坤〉的順序，但已按海德格講述「世界與大地的鬥爭」的思路來講「龍戰於野」。此書則按〈坤〉、〈乾〉的順序，《歸藏》易已現於世上，赤赤裸裸，只有兩卦的次序改變，其餘一仍《周易》。

　　另外老子與孔子為師生關係，一為道家宗師，一為儒家宗師，這有什麼可疑的呢？例如《孔子家語》記載：「孔子謂南宮敬叔曰：『吾聞老聃博古通今，通禮樂之源，明道德之歸，則吾師也。』」這段說明了孔子有興趣於道德與禮樂的關係。《史記・老子韓非列傳》所記載的孔子問禮於老子……孔子離開時，告訴弟子曰：「鳥，吾知其能飛；魚，吾知其能游；獸，吾知其能走。……吾今日見老子，其猶龍邪！」這就是說老子深藏莫測，因為龍潛深淵，孔子對老子的尊敬可見一般，視他為神龍見首不見尾的人物。

　　如果以德勒茲（和加塔利）的說法，哲學是創造概念，那麼哲學史是一種概念思惟的變化。兩家宗師，如果要抓出他們的基

本概念思惟,那麼老子是:「道生之,德蓄之,物形之,勢成之。」(〈第五十一章〉)道、德、物、勢成為四個基本概念,並且各配一個動詞,而且顯然是道生發天地、萬物的過程。至於孔子,是不是:「志於道,據於德,依於仁,游於藝。」(《論語‧述而》)這就成為孔子人文主義的基本立場!道好像是君子一生持守的意志的目標,所謂「立志」;但他立足的根基在「德」上。兩個大哲學家居然有兩個概念「重複」,這也夠奇怪了。而且孔子說得最不清楚的是這兩個概念,好像老子是孔子的依傍。

「朝聞道,夕死可矣!」(《論語‧里仁》)道對孔子多像是遙遠的目標!有時道與仁像是對等的概念。例如「士志於道,而恥惡衣惡食者,未足與議也。」(《論語‧里仁》)道不等於美食的欲望。「君子無終食之間違仁,造次必於是,顛沛必於是。」(《論語‧里仁》)一頓飯的時間也不違背仁德,仁德是始終持守的目標,所以陸象山才說孔子「以仁發明斯道」(《陸象山全集》)。其實孔子到後來越來越確定道與天的關係。「天何言哉,四時行焉,百物生焉。」(《論語‧陽貨》)至於德呢?「天生德於予!桓魋其如予何!」(《論語‧述而》)「德」的概念就模糊,好像不是每人都有,而是天獨授與孔子。有時不確定是否含有地理空間的意思,例如「里仁為美」。而孔子的「天」的概念,在人而言,越來越等於文化道統。「文王既歿,文不在茲乎?天之將喪斯文也,後死者不得與於斯文也;天之未喪斯文也,匡人其如予何?」(《論語‧子罕》)明確地說天意的依歸決定周文王以來文化道統的存續,而且應是不會令其斷絕。天道的創生作用至此就等同了文化道統。

　　《歸藏》易重坤卦，坤是地，是橫貫性；《周易》是縱貫性，壓抑了橫貫性。孔子是縱貫性，老子是橫貫性，漠視這傳承，也是壓抑橫貫性。這是儒家對道家的橫貫性兩次壓抑。

〈第三章　龍戰於野──中國另一個開端〉

　　《歸藏》是殷商之易，代表殷商之道，孔子到宋國去，文獻不足以證明，因為他看到的只是《坤乾》。問題是如果這種排列方式有意義而孔子看不出來，他當然錯過了殷商之道。

　　史稱黃[1]老、周孔，至少商朝大約五、六百年，如能因《歸藏》出現，而抓住其基本義理，殷商[2]的思想便可浮現。若往黃帝推，就從西元前 1600 年往前推 1100 多年；因為有認為黃帝號「歸藏」，黃帝作《歸藏》易。母系氏族社會較父系氏族的社會長久，如果周孔的周，雖是周公，但可由周文王的《周易》代表，為何黃老的黃不能由《歸藏》易代表呢？何況《周易》是由《歸藏・坤乾》的乾坤顛倒間，偷天換日而成，無法代表儒家文化的「創造」，但《易傳》是。

　　現在如採〈坤卦〉在前的方式，前面五爻就成為實踐存有論橫貫性的展示，成立一套「實踐智慧學」。在「先迷後得」的翻轉，「先迷」是先迷惑於世俗的價值觀，簡單說就是爭取名利，「後得」是經過一連串在經驗上的領悟。譬如說：初爻的「履

---

[1]　錢穆說黃帝異於神話，是傳說之總彙，不必據此為信史。另說「商人『尚鬼』，是一個重文化事業的部族。周人……恐怕只是對商有文化上的承襲……。」錢穆《黃帝》（臺北：東大，1987），頁64。

[2]　「商人之祖先獨務為教育者，仍見其為東方平原一個文化優美耽於理想的民族之事業也。」錢穆《國史大綱上》（臺北：臺灣商務，1990），頁20。

霜，堅冰至」就是用好和壞的判斷來取代善和惡的判斷。無論好與壞，有一個時間的過程，時間造成了累積和變化。在輕微的「霜」就要觀察：會逐漸形成嚴重的「堅冰」。重要的是《易傳·象辭》的「陰始凝也。」是用「始」字取代《歸藏》過程的智慧，才會有初爻的「始」以至於〈上六〉的《易傳·象辭》的「龍戰於野，其道窮也。」「陰氣」含有道德判斷。

我們想要增加我們的行動力時，實踐地要構成共通觀念。共通觀念是藝術，倫理學本身的藝術。這條路筆直、方正、廣大，沒有任何人文的學習，也沒有什麼不利。這就是內在含有美的形式，來面對暴烈混亂的環境，所謂〈六三〉爻辭的「含章可貞」。這樣又形成新的實踐格言：要收束住囊口，要韜光養晦，先求無過！黃是大地的顏色！「黃裳」是君王的衣裳，這樣的實踐智慧，使你成為君王！那麼到〈上六〉爻辭，所謂天龍根本來自大地精神，先在的價值要重新更替，道總始於渾沌的時刻，新舊交替，天道起於大地，這就是海德格「世界與大地的鬥爭」。先批判既定的舊價值！不是末路，而是開端。

《歸藏》易是道家易！〈初九〉像嬰孩原始的驚訝，面對天地萬物的巧妙變化，說一切事物潛藏著龍。〈九二〉則道的原始力量出現在人類生活的界域（「田」）中，把自然生產的力量帶入人類的居住中，叫「見龍在田」。〈九三〉是君子生命的藝術要終日小心謹慎，把自然的力量帶出來，不敢懈怠。對道的運動來說，開顯的力量就帶著隱蔽的力量，故「或躍在淵」就像龍潛於淵。「飛龍」超越的力量已為大家所見到，「在天」上。但存有的出現持續一段時間，終必隱沒，故「亢龍有悔」。存有的紀元終將是錯誤的歷史。所以任各種不同差異的力量出現，而不統

一，這就是「群龍無首」。

〈第四章　《歸藏》易：《坤乾》〉

　　《連山》易主要是夏朝的曆法，這是「夏道」；《歸藏》易主要是《坤乾》，這是「商道」；《周易》則以乾坤為主，這是「周道」。《連山》哪有失傳！它就在我們使用的農曆。在農民曆中每日有「宜」有「忌」，適宜的事和禁忌的事是生活經驗的綜結，禁忌不就是《連山》的特色嗎？早已化入人倫日用！當然最重要的是族長的權威：絕對命令！《歸藏》易失傳了，其實也沒有失傳，孔子見到了《坤乾》！《坤乾》是母系社會的智慧，多少世紀以來無數無名人物生活經驗的結晶。商朝持續約 570 年，周朝是文明社會，何忍摧毀、消滅商朝的文化！？藉「乾坤大挪移」，隱藏了《歸藏》易；偷天換日「創建」《周易》。孔子居然是目擊證人，孔子未見到與《周易》不同的其他差異！卻渾然不知《坤乾》正是《歸藏》易的祕密！周文王離孔子又差不多 570 年，孔子所繼承者是乾坤顛倒的《周易》，而下開《易傳》。

　　概念思惟定住，就無可移！《歸藏》易被改頭換面，成了《周易》，這是翻天覆地的變化。同樣，一套存有論被改裝成一套道德形上學。《周易》成為「易經定本」，在中國的文化中已習慣這套道德形上學；而看不到在天旋地轉中，有著文化鴻溝的《歸藏》易！韓愈〈過鴻溝〉詩云：「誰勸君王回馬首？真成一擲賭乾坤。」講的雖是項羽、劉邦楚河漢界的鴻溝，但這「乾坤一擲」豈非正是商朝與周朝的文化鴻溝！

　　當〈坤卦〉放在〈乾卦〉前面，〈坤卦・上六〉的「龍戰於野」才可與〈乾卦〉的龍的運動產生連動，這才是意象思惟的方

式，否則〈坤卦・上六〉的龍，與〈乾卦〉在前的龍就隔〈坤卦〉前五爻，殊不合理，也頗虛假！本能的習慣支配著歷代的思惟，竟然把「龍戰於野」的龍視為坤龍、陰龍！龍還分乾坤、陰陽？

　　現在建構〈坤卦〉為「基礎存有論」，但卻是依人的本真（authencity）有其根源的方式建立的「實踐智慧學」，依生活經驗而來的實踐智慧（practical wisdom），由「履霜，堅冰至」在實踐上的因果判斷，而得出「括囊」的智慧結論。由保存生命開始，在時間變化上對我身體產生好與壞的基本感受，而結晶成智慧。而智慧也就使人成為「垂衣裳而天下治」的王。而價值翻轉，就從常識轉成智慧。「龍戰於野」正是天與地的戰鬥，天龍降下，大地升起，也就是世界與大地的鬥爭。在強壯的虛無主義中，必得像駱駝經歷沙漠那樣的沈潛，中國是用「潛龍」的天龍潛藏於深淵來表現。故而〈坤卦〉是實踐存有論，而〈坤卦・上六〉開始是存有的運動。《歸藏》易展現的是大地哲學——橫貫式思惟，在橫貫式思惟中展現存有超越的動力，天道或世界是由龍的空間位置的變化，表現出天道的時間性。這種思惟需要扭轉《周易》的乾坤！

　　依〈坤〉、〈乾〉定位，《歸藏》易展現出完全不同於《周易》的意趣：所謂《歸藏》是「萬物歸藏於大地」的存有論，那麼《周易》的道德形上學只能是一種人為的限制：坤成了物質！

〈第五章　有與無：老子博大真人〉

　　老子怎麼可以用字義相矛盾的概念來指涉道？無和有？主要是扣著「天下皆知」的概念！〈第二章〉：「天下皆知美之為美，斯惡已。」海德格也認為：「我們在一日常的方式下理解我

們自己……不是從我們自己存在。最極端的可能性來的連續性，而是不真實的……」。常識的有要回到無中，老子甚至用動力概念來渾化對立的二元價值：「故有無相生，難易相成，長短相較，高下相傾，音聲相和。」（〈第二章〉）只是一個動力概念向二個極端地表現，而且似也有物極必反的味道。

崇尚賢能使人與人之間爭取名聲的鬥爭；物成為財貨更成為占有與爭奪的目標。老子把道概念化為無和有，並套入工具和裝備中，有如是要成為有用，卻需要無來支撐；也就是保持空虛才有其用途。「不本真性是加強日常的自我主義，本真性是對它的減損。」

有道、無道是在日常的自我主義回歸或向前發展。向前發展是在戰爭的型態，向後回歸則是致虛守靜。對萬物來說，道的動力在於反，所謂回歸，道的發用在於柔弱。「天下萬物生於有，有生於無。」（〈第四十章〉）故無和有也成為物的存有論結構。海德格也認為人「不僅站在存有的中央，也發現自己暴露在非存有物的可能性中。在此義上，他能超過他的事實面。」簡單說：有是事實面，因為無，他可超過事實面。

如何說明「道者，萬物之奧」（〈第六十二章〉）？老子說得很清楚：我們通過致虛守靜的工夫，才得以在萬物生長動作時，觀察到回歸的現象。萬物如此紛雜眾多，各自回歸各自的根源。各自回歸各自的根源，是作為差異的特異性，也就是回歸自己的命運。

老子說道乃是古道，是古時候的開端，「能知古始，是謂道紀。」（〈第十四章〉）古代的開端，是道的紀元，紀元是道的歷史。道先天地而生，孤寂深遠，獨立運作而不止息，可以成為

天下的根源。「天地」是自然義,「天下」是社會義。

　　老子的基本概念落在:「道生之,德蓄之,物形之,勢成之。」(〈第五十一章〉)所謂基本概念就是重中之重,道、德、物、勢四個概念各以一個動詞表現,老子的書又稱《道德經》,自以道、德兩個概念最重;道家對著萬物說話,人只是萬物之一,這裡就沒有人文主義的立場;而萬物各自在其生長的環境占有其優勢。道是「有物混成」,就是混合許多種不同的動力而成,故它之生發也只是凝聚成一種特異性的動力;「德蓄之」,也只是蓄積這種特異性的動力而成;經由這樣的蓄積凝固,使萬物逐漸形成,而有了形體;萬物也在特殊的時空環境中展開特殊的勢力。

　　老子的「谷神不死,是謂玄牝。」(〈第六章〉)展開的是陰性存有論,故而母子關係成為道與萬物的關係,不同於儒家的父子關係。

〈第六章　仁與天道:孔子天地氣象〉

　　老子的基本概念如在:「道生之,德蓄之,物形之,勢成之。」是道、德、物、勢這四個概念,但孔子說:「志於道,據於德,依於仁,遊於藝。」孔子是整個生命意志把道視作未來要達成目標,而德是我們生命的依據。兩個最重要概念的重複,對我來說,說明了老子與孔子的師生關係。因為老子的道、德兩個概念均有很穩定的論述,而在孔子卻是全副意志仰望的目標!到後來「天何言哉!四時行焉,百物生焉。天何言哉!」已把道等同於天的超越性。但這超越性隨即等同於道成肉身的文化道統!「文王既歿,文不在茲乎!……天之未喪斯文也,匡人其如予何!」天道等同於文化道統的存續,而孔子繼承的正是周文王以

來的文化道統。

仁被視為真情實感，希臘字 pathos 是激動情感的力量，然而尼采說：與情感（pathos）一樣重要的，乃是自我約束的性格（ethos）。孔子的仁已預設了 ethos 自我約束的性格，故子曰：「一日克己復禮，天下歸仁焉。」克己就是自我約束。社會正義已預含在仁的實踐當中，君子對國家、社會沒有什麼必要強求也沒有必要反對的事，只是「義之與比」，與社會正義相比。孔子對禮在社會文化傳統的細節，都要詳加了解，故「入太廟，每事問。」要知禮才能立身處世，要知言才能有知人之明，也要知道自己的命限，是智的領域。

康德的崇高在德勒茲的眼裡認為：「與崇高感一致的常識，與文化起源的運動不可分。」在德希達也認為想像力與理性的不一致帶來痛苦，它與道德有一基本的關係。「盡美矣，未盡善矣」也終成為文化起源運動的能量。

〈第七章　無和無己：莊子逍遙物化〉

如果說老子有「道、德、物、勢」四個基本概念，如果我們不任本能支配，就會在概念的差異，去比較老、莊的差異。「泰初有無，無有無名：一之所起，有一而未形。物得以生，謂之德；未形者有分，且然無間，謂之命，留動而生物，物成生理，謂之形。……」如果我們把細微的差異去掉，因為雖然老子也有一的概念如「天得一以清，地得一以靈……」等，反正也是在道和德之間。現在我們得到無、德、物、形四個概念。故以無來取代道，自莊子始，而不是王弼。勉強說：莊子的無與老子的道兩個概念相等好了，卻有一個形的概念與勢的概念不一致。如果說「形勢一片大好」，老子的形會往物上收，有物就有形，就沒有

形的概念。當莊子在物外有形的概念時，意味著成為物不見得保住他的形，形對物不是基本的，因此不礙殘缺、異形均可得道。

莊子打破二元邏輯是基本的，如夢與醒，女人與男人。像德希達一樣，策略性地選擇下位概念成為上位概念，來達到顛覆二元邏輯的效果。故「神人無功」的神人是「肌膚若冰雪，淖約若處子」，也好像德勒茲的「變成女人」一樣，達到生命的變形。甚至「莊周夢蝶」連夢也成為變形的關鍵，我們甚至可問一下：蝴蝶是比較像男性身分還是女性身分？故而意識的清醒、男性主體都被顛覆，取而代之的是夢和少女。

至於在〈天下〉篇中說：「神何由降？明何由出？」神的概念不合於〈內七篇〉中神的概念用法，太凡「即虛見氣，即氣化神」。神是內在性的氣化或空虛，而非超越性的降下。或因是為吸收墨家，故儒、墨顯學成為儒、道二家。

最後就是所謂「立德明道」！莊子的重點在「德」，不若老子的重點：比起德來是「道」，雖然老子也有〈德經〉，但道比德有其優位，這立場奇怪地與德勒茲是一致的，這是一個前個體的特異性，在「未始有物」的層次。

〈第八章 心善與性善：孟子與天地同流〉

我們到底是要學統還是正統？當孔子由仁心一步步往外推擴，而成為仁、義、禮、智；孔子「仁智雙彰」，智總有外在的成分。孟子卻視為責任擔負地把仁、義、禮、智收歸一心。孟子卻說「無惻隱之心，非人也；無羞惡之心，非人也；無辭讓之心，非人也；無是非之心，非人也。」的確有一種道德的熱情或一種距離的激情，把人和非人區分開，把超越的心與世俗的心區分開。在道德的理想主義中，只能作這種超越的、先驗的規定，

把道德的心與功利的心區分開！甚至當孟子奠定「心、性、天」的架構時，的確剛健有力地釐清三者之間的關係，心必須在道德踐履中規定，證知心善，由心善證知性善，或持存心善來涵養善性，最後是證知天道流行或事奉天命！

當人的心善能達到「與天地同流」時，的確「聞誅一夫紂矣，未聞弒君也！」（《孟子·梁惠王下》）也的確與「習俗道德」的「尊君」區分了距離。這就是孟子所採取的透視，一切生理現象由道德價值衡量和判斷。問題是當尼采已批判康德的物自身概念時，我們再去改造十八世紀的康德概念以符合孟子，有沒有特殊的意義？德勒茲就認為康德的超越原則是調節原則，而非內在發生的原則！立法原則在尼采的權力意志。

〈第九章　要記憶還是創造？——中國文化的未來〉

二十世紀五四運動已過百年，當時受西潮的衝擊，與西方思潮的互動是同步的，杜威、羅素都來中國講學，中國也熱衷尼采、柏格森、懷海德。充滿蓬勃生機！

中葉以後，受兩岸分治的影響，港臺成為新儒家重鎮。為樹立中國文化主體，方東美由懷海德哲學研究《易經》，或者因康德哲學和黑格爾哲學的主體性強，牟宗三、唐君毅以之會通中國儒家哲學，或甚至徐復觀由胡塞爾哲學研究中國藝術。後逐漸及於胡塞爾，或陸達誠在列維那斯指導下研究馬塞爾。到新儒家的弟子們取得博士歸國，如沈清松、陳榮灼俱研究海德格，以之研究中國哲學。

在海德格以後，固然有結構主義、詮釋學思潮，但 1968 年以後法國後結構主義思潮德勒茲（加塔利）、德希達、福柯、利奧塔波瀾壯闊！二十世紀有新儒家，二十一世紀可否有新道家？

第一章　跨亞洲之眼
——兩次西潮

　　清朝道光二十一年是西元 1841 年，道光皇帝仍相信對英軍已示兵威，可以准令通商，「該夷性等犬羊，不值與之計較。」結果是道光二十二年，簽南京條約，割讓香港；這是所謂第一次鴉片戰爭，打開了中國的閉關大門，也是中國近代史的開端。蔣夢麟《西潮》（1943）即記錄 1842 年到 1941 年百年間西方文化對中國的影響。蔣夢麟（1886-1943）以自己父親的製造輪船為例，承認西方技術的進步。但是西方並不只是船堅礮利。蔣夢麟自己赴紐約哥倫比亞大學，取得教育學博士，是哲學家約翰‧杜威（John Dewey, 1859-1952）的學生。

第一節　二十世紀的西潮

　　西潮不只是技術進步，也是西方思想的新潮！由北京大學學生創辦、胡適（1891-1962）擔任顧問的《新潮》雜誌（1919 年創刊），熱烈支持新思想和新文學運動，這個月刊的英文名字是

「文藝復興」（*Renaissance*）[1]，而胡適也是杜威的學生。蔣夢麟擔任北京大學校長 14 年，繼任者是胡適，同為杜威的學生，這也可以看出時代的趨向；新思想和新文學運動與當時的世界是同步的，杜威和羅素（Bertrand Russell, 1872-1970）都來中國講學過。

　　當時並非惟新是尚，而是有思想基礎的。即連介紹妹妹張幼儀與詩人徐志摩認識的張君勱（1887-1969）也留學日本、德國，起草《中華民國憲法》，也是早期新儒家的代表之一，他推崇法國哲學家柏格森（Henri Bergson, 1859-1941）和德國哲學家倭鏗（Rudolf Christoph Eucken, 1846-1926），後者是唯心主義哲學家，也在 1908 年獲諾貝爾文學獎。若語言學家、詩人劉半農（1891-1934）留學法國，說魯迅（1881-1936）（留學日本）是「托尼學說，魏晉文章」，托爾斯泰（1828-1910）的小說和尼采（Friedrich Nietzsche, 1844-1900）的超人哲學被說成是魯迅思想的核心。陳獨秀（1879-1942）留學日本，在其主編的《新青年》提倡民主與科學（德先生與賽先生），是傳播馬克思（Karl Marx, 1818-1883）思想，是以思想革命為前鋒。朱光潛（1897-1986）留學歐洲，是著名美學家，他的《變態心理學派別》就包括了不僅是佛洛伊德（Sigmund Freud, 1856-1939），還有榮格（Carl Jung, 1875-1961）與阿德勒（Alfred Adler, 1870-1937）。這樣子十九世紀的三位懷疑主義大師尼采、馬克思和佛洛伊德均在中國二、三十年代產生深遠的影響。若論二十世紀具

---

[1]　周策縱〈五四前夕的文學與思想活動〉，鍾玲譯，收入周玉山主編《五四論集》（臺北：成文，1980）。

代表性的大哲學家,在其思想的吸收與轉化上,方東美(1899-1977)赴美國留學,吸收新實在論思潮,另最著者即為懷海德(Alfred North Whitehead, 1861-1947);稍遲者若熊偉(1911-1994)三十年代即赴德國留學,受教於胡塞爾(Edmund Husserl, 1859-1938)與海德格(Martin Heidegger, 1889-1976)。這些新思想與新文學運動密切相關,例如方東美(1899-1977)既與朱光潛是同鄉、同學兼好友,朱光潛又與詩人梁宗岱(1903-1983)為至交,梁宗岱留歐七年,與法國晚期象徵主義詩人梵樂希(瓦雷里,1871-1945)為忘年之交。

以上說明了什麼?江湖不負初來人!在幾千年悠久縱深的垂直傳統之後,除了「船堅礮利」之外,西方文化的橫向衝擊,也產生了「西潮」的文化效應。到西方留學,不僅是磁場之所在,也是力場之所在!這些到西方留學者,短短四、五年間取得博士學位,常是「英雄出少年」,二十六、七歲即成為學界的領航者。二十世紀的開端,五四思潮前後,跨亞洲之眼絡繹不絕於旅,「出去了再回來!」再回來的那個已非出去前的那個,他有了新世紀的眼界。

第二節 一世紀的西潮

其實在歷史上也有場規模壯闊的思想與文化的運動,遠推東漢明帝永平七年(公元 64 年)。唐宋八大家之首的韓愈(768-824)曾有一首〈左遷至藍關示侄孫湘〉:

一封朝奏九重天,夕貶潮州路八千。

本為聖朝除弊政，敢將衰朽惜殘年。

雲橫秦嶺家何在？雪擁藍關馬不前。

知汝遠來應有意，好收吾骨瘴江邊。

韓愈〈論佛骨表〉諫迎佛骨入京一事，觸怒唐憲宗，幾乎被處死，結果由刑部侍郎被貶為潮州刺史，由「一封朝奏」到「夕貶潮州」可見命運急劇的變化；「一封朝奏」的氣勢，也淪為讓韓湘子收屍的氣衰而竭之感。問題是：這位讓蘇東坡頌讚為「文起八代之衰，道濟天下之溺」的韓文公，以「文以載道」雄視一代，其道為何卻如此不濟？原因是韓文公雄辯的氣勢，只能視為唐朝的文學家，雄辯以氣勢盛，故為議論文，雄辯是以議論勝過對方。這場古文運動，只是復古，不期有所轉進；力矯駢文之弊，而不能有新思想，新的文學運動。唐代新思想在佛學，新文學運動在唐詩。其年稍在韓愈之後的詩人杜牧有詩〈江南春〉云：「南朝四百八十寺，多少樓臺風雨中。」韓愈是當代文學家，不是思想家；在佛學當令的年代，無法力挽狂瀾。

隋唐佛學也是西潮，西漢時印度經西域傳入。「漢武銳意開闢西域，遠謀與烏孫、大宛、大夏交通。此事不但在政治上非常重要，而自印度傳播之佛法必因是而益得東侵之便利。」[2]西潮原是印潮。異質思想在空間上「橫向」的侵入，就動搖了在時間上屬「縱貫」的傳統思想。有力的思潮侵入了無力抵抗的思潮，那就是魏晉玄學的新道家運動並無力抵抗佛學思想的深刻。或者

2　湯用彤《漢魏兩晉南北朝佛教史上冊》（臺北：臺灣商務，1991），頁47。

說它本是一種以詮釋為本的思潮，無力與佛學展開深刻的對話。
「持傳解經」如果是一成規，那也是創造力的遞減。當我們持王
弼《老子注》來理解老子，那是以青年哲學家來理解創造性的哲
學家，王弼與老子並無法畫上等號。卻不必為「王弼對於老子，
確有其相應之心靈，故能獨發玄宗，影響來者至鉅。」[3]這種成
規無法相應於創造的交會，就成為一陋規。也就是依傍王弼以理
解老子，無法直面經文。只有莊子才與老子有創造的交會，即使
如此，還說莊子在相應於自然的變化來解釋萬物的時候，還是有
些困惑不清楚。《莊子・天下》說：「雖然，其應於化而解於物
也，其理不竭，其來不蛻，芒乎昧乎，未之盡者。」何況是王
弼，莊子自老子義理轉出，而他自是莊子，這才是重複中有差
異！郭象注莊子也是如此，無法發揮莊子義理之全體大用。

　　不能創造的交會，那就只能用道家的概念「無」來引渡佛家
的概念「空」，就是格義佛教。「佛典漢譯之泰斗，前有羅什，
後有玄奘。……印度大乘，無過二宗，一則中觀，一則瑜伽。什
所弘者，中觀法門。而奘所弘，則瑜伽法門。」[4]譯事之盛，何
可想見！弘法之隆，直到佛學及佛教在明清兩代中國化。淨影慧
遠、嘉祥吉藏、天台智顗、法藏賢首、慈恩窺基都完成了重要的
佛學典籍。[5]中國吸收、消化印度佛學，至少費了千年以上的時
間，即連天台宗、華嚴宗的圓教之諍，也歷時五、六百年以上。
佛學中國化，就是中國的佛學，那麼這些佛教人物，也就是中國
哲學家。

---

[3]　牟宗三《才性與玄理》（臺北：學生，1975），頁127。

[4]　黃懺華《中國佛教史》（臺北：河洛，1974），頁28。

[5]　宇井伯壽《中國佛教史》，李世傑譯（臺北：協志，1993），頁212。

我們該重視的是：創造性的交會！而非本位的復辟。哲學的困難就在於要進入原始的洞見！並與原始的洞見有強度的相應。譬如宋明理學不可說波瀾不壯闊，宋明諸子常出入佛老十餘年，在方向上終不相契。問題是：在方向上不相契者，在強度上可以互相欣賞。至少宋明理學並未融匯佛學的洞見，也把佛學視為異質的領域。例如「智者大師……他的『摩訶止觀』真是皇矣人哉的警策偉構……當時稱之為東土小釋迦。……華嚴宗的賢首……他的『華嚴一乘教義分齊章』中言十玄門，即從哲學上講，亦是最高的玄思玄理。這是中國和尚從消化佛經而展開的玄理，並不是印度原有的。……禪宗的六祖慧能……他特別著重本心真切的頓悟。輕視本心以外的文字、偶像與儀式。」[6]這些「中國和尚」的玄理並未在宋明理學家玩味的義理中生根，甚至朱熹疑陸象山的思想路數與禪的關係前後搖擺不一，致「禪」淪為貶辭，故而隋唐佛學與宋明理學也沒有創造性的交會。

第三節　中西思潮會通

其實先秦思想中儒家與道家有一原始的創造性的交會，是孔子與老子！如果我們以人的意識為中心點，意識領域的展開分為三種不同的向度來產生力量。儒家是意識不斷地超越，屬於高度量；道家是意識不斷地拓寬，屬於廣度量；佛家是向潛意識的深度考察，屬於深度量。

---

[6] 牟宗三《中國哲學的特質》（臺北：學生，1973），頁 83-84。

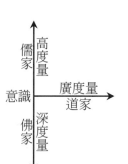

無怪乎在魏晉玄學的道家和隋唐佛學的佛家之間，很少產生有意義的交會；隋唐佛學的佛家與宋明理學的儒家之間，更乏創造性的交會。不過在討論孔子與老子的關係之前，我們還是要回過頭注視中西思潮會通中的中國哲學家。

　　湖北黃岡熊十力（1885-1968）年少時談孟子、王船山、顧亭林書，似受張東蓀（1886-1973）譯柏格森《創化論》影響，三十五歲入歐陽竟無內學院學習唯識學，後竟以佛教唯識學重建儒家形而上道德本體，以《新唯識論》名家，他的弟子牟宗三（1909-1995）、唐君毅（1909-1978）（他亦為方東美弟子）、徐復觀（1904-1982）均成為港臺新儒家重鎮，並與張君勱等聯合署名，發表了被稱為新儒家思想綱領的〈為中國文化敬告世界人士宣言〉。在中西哲學思潮上交會的當口，經歷了中日戰爭到兩岸分治，對西方哲學思潮的消化吸收，卻似戰前的北京大學：「北大哲學系的傳統和重點是歷史研究，其哲學傾向是觀念論，用西方哲學的名詞說是康德派、黑格爾派，用中國哲學的名詞說是陸王。」[7]牟宗三就自謂一生陪伴著康德思考，但他對懷海德

7　馮友蘭《中國哲學簡史》（北京：北京大學，2002），頁286。

和維根斯坦也不陌生。唐君毅則「讀了黑格爾的精神現象學，才
知除新實在論一往平鋪的哲學境界外，另有層層向上升高之哲學
境界。」[8]至於徐復觀則留學日本，官拜少將（40 歲始入熊十力
門下），嘗試以胡塞爾純粹意識來詮釋藝術精神的主體。對西學
之消融主要用以詮釋中國古代哲學，並挺立中國文化主體。方東
美輩分自高些，亦本懷海德機體哲學來詮釋「中國哲學之精神及
其發展」。一時之間，體大思精之大部頭著作，蔚為壯觀；中國
古代儒、釋、道哲學盡顯精采，波瀾壯闊。

　　唐君毅在介紹海德格哲學時，曾提到「中大同事熊偉，受學
於海氏」[9]。熊偉（1911-1994）在德國弗來堡大學在海德格指導
下獲哲學博士學位。牟宗三撰文時引述有時龐雜，但在概念思惟
上較能覃思熟慮，使康德的哲學概念能落實於中西哲學之比較
中。但也在這裡，他對海德格的批判就特別顯著：「由於不肯承
認一個超越的實體（無限性的心體、性體或誠體）以為人之所以
為真實的人，所以有『實有』性之超越的根據，而只能成為無本
之論。」[10]對不對路，也影響到他對道家的詮釋。項退結（1923-
2010）留學義大利取得哲學博士，在《現代存在思想家》一書
中，〈再版序〉特別引用熊十力《十力語要》中的話，「夫名家
顯學，現成為一派思潮，則同情其主張而侈譯之者，必有繼續深
研之努力，方得根據其思想而發揮光大，成為己物。」[11]他也寫

8　唐君毅《人文精神之重建》（臺北：學生，1974），頁565。
9　唐君毅《哲學概論》（臺北：學生，1975），附編，頁56。
10　胡偉希《傳統與人文──對港臺新儒家的考察》（北京：中華，
　　1992），頁156。
11　項退結《現代存在思想家》（臺北：先知，1974），頁10。

過《海德格》一書（2006）。鄔昆如（1933-2015）留學德國，
《莊子與古希臘哲學中的道》也算在中西哲學會通中打開存有的
通路，也有《現象學論文集》（1975）。陸達誠（1935-）留學
法國，在現象學名家列維那斯（Emmanuel Lévinas, 1906-1995）
指導下研究馬賽爾（Gabriel Marcel, 1889-1973），也著有《馬賽
爾》（1992）。

其實外文界的觸角是稍快一些，鄭樹森（1948-）取得美國
聖地牙哥大學比較文學博士，是詹明信（Fredric Jameson, 1934-）
高足，阿多諾（Theodor Adorno, 1903-1969）專家，著有《文學理
論與比較文學》（1982）以結構主義、現象學、現代主義論辯為
主，在他編成的《現象學與文學批評》（1985）中，除了現象學及
海德格是重點外，一篇奚密的〈解結構之道〉似乎使海德格成了
「先進」，而將後結構主義思想家德希達（Jacques Derrida, 1930-
2004）與莊子思想比較研究了。這也就是說今後中國哲學要有
「跨亞洲之眼」，法國 1968 年前後的後結構主義思想家福柯
（Michel Foucault, 1926-1984）、德希達、利奧塔（Jean-François
Lyotard, 1924-1998）及德勒茲（Gilles Deleuze, 1925-1995）都成
為中西思潮會通的首要目標了。這波浪潮一直到方東美學生沈清
松（1949-2018）自比利時魯汶大學取得哲學博士歸國，一連推
出《現代哲學論衡》（1985）、《物理之後／形上學的發展》
（1987），不僅海德格，詮釋學高達美（Hans-Georg Gadamer,
1900-2002）、呂格爾（Paul Ricour, 1913-2005），甚至法蘭克福
批判學派的社會學家哈柏瑪斯（Jurgen Habermas, 1929-）也赫然
在目。直至牟宗三學生陳榮灼（1951-）的英文著作：*Heidegger
and Chinese Philosophy*（《海德格和中國哲學》，1986）已把海

德格的哲學概念注入中國儒家、道家及佛家（天台宗）的義理之中，海德格已中國化了。

跨歐洲之眼

尼采的「跨歐洲之眼」，找到佛家作為歐洲哲學的對立形式，並設法超越。「在尼采的永恆重現觀和大乘佛教的志願轉生觀之間，有些相似的地方，但是我要指出，促使永恆轉生的力量卻非常不同。推動尼采的『永恆重現』的力量是大膽無畏的自我主張和自願接受生命中各種恐怖和痛苦的意志……。」[12]尼采以永恆回歸（eternal return）來超越佛家的輪迴。海德格在試探歐洲哲學的另一個開端時，「正如奧特・波格勒（Otto Pöggeler）所說，他『曾向來訪者欣然承認自己的思想與道家和禪宗傳統之間的親密關係。』」[13]這豈非海德格的「跨歐洲之眼」？那麼在尼采和海德格之後，尤其在後結構主義哲學家中，我們只需在他們思想中尋找尼采和海德格的概念，也就成為他們的「跨歐洲之眼」了。

至於中國如何尋找「跨亞洲之眼」呢？除了二十世紀「出去了、再回來！」的學習歐美思潮（西潮），還有自東漢末年赴西域求佛法的活動（也是西潮）。我們消化佛學，一流的哲學心智追索到明末禪宗的臨濟宗為止，似乎創造力也展現到其極至上了。至於中國內部，似乎也有二次橫向的思潮被強而有力地壓

---

[12] C. H. Pan《尼采與佛教哲學》，石印滇譯（臺北：成文，1977），頁84。

[13] 萊因哈德・梅依《海德格爾與東亞思想》，張志強譯（北京：中國社會科學，2003），頁13。

抑，以至本土的思潮反而成為傳統思想的「他者」，或者變得陌生而不熟悉，以至於如果重新發現，可能成為「另一個開端」！

我們關注的是二十世紀出國學習西潮的現象，但出去了要再回來，出去了的和回來的與出去前並非同一個，他已被創新的力量改變！故可以命名為「徐志摩現象」！至於實際出與與否，並非那麼重要，而是帶回新思潮、新眼界，造成中西思潮會通的現象。二十一世紀仍須消化融通西潮，但因網路上可以沖浪的關係：「在家就是在世界，在世界就是在家！」

第二章　超古代之眼

——從《歸藏》易到老子

　　《五經》是中國儒家經典，《周易》是群經之首。相傳卦為伏羲所畫，辭為文王、周公所繫。不過按《五經》的成書多假數百年無名群眾的智慧逐漸形成，《周易》的卦辭、爻辭也只能是如此。

第一節　〈坤卦〉有一條假龍？

《周易》的順序：

乾䷀

乾：元亨利貞。

初九：潛龍，勿用。

九二：見龍在田。

九三：君子終日乾乾，夕惕若厲，无咎。

九四：或躍在淵，无咎。

九五：飛龍在天，利見大人。

上九：亢龍有悔。

用九：見群龍无首，吉。

坤 ☷

坤：元亨，利牝馬之貞。君子有攸往，先迷後得，主利。
　　西南得朋，東北喪朋。安貞吉。

初六：履霜，堅冰至。

六二：直方大，不習无不利。

六三：含章可貞，或從王事，无成有終。

六四：括囊，无咎无譽。

六五：黃裳，元吉。

上六：龍戰於野，其血玄黃。

用六：利永貞。

　　不過現行本《周易》在首〈乾〉次〈坤〉後，價值的中心在
〈乾卦〉，則〈乾卦〉的龍成為君子進德修業的精神象徵，《易
傳》美其名說六爻為「時乘六龍以御天」，〈坤卦・上六〉：
「龍戰於野，其血玄黃。」就旁落了，由於〈坤卦〉是後繼於
〈乾卦〉，就與〈乾卦〉六爻隔著至少〈坤卦〉的前五爻，不能
產生連動；也由於不能連動，就使以陰氣來敘述的〈坤卦〉就產
生在《周易・象傳》所說：「龍戰於野，其道窮也。」是陰氣已
至窮途末路；甚至《周易・文言》說：「陰疑於陽必戰，為其嫌
於无陽也，故稱龍焉。」這就是說：到了〈上六〉，〈坤卦〉的
陰氣盛到極點，為了嫌棄自己的無陽，故〈坤卦〉的上六要稱自
己為「龍」，搞了半天，「龍戰於野」這麼美麗的意象竟然是一
條假龍！在概念思惟上極不合理，也錯過意象思惟。

　　這種不合理的情況當然來自《周易》編定的次序，文王、周

公極可能也只是編定次序。《易》有《三易》：《連山》、《歸藏》、《周易》；《連山》、《歸藏》俱已不傳。《周易》成於西周，《歸藏》應成之於殷商。按方東美（1899-1977）亦同意的說法：「《連山》首〈艮卦〉，是極原始社會；《歸藏》首〈坤卦〉，是原始社會，母系社會；《周易》首〈乾卦〉，是父系社會。《三易》不過是人類社會的演進。」[1]《禮記‧禮運》中，子曰：「我欲觀殷道，是故之宋，而不足徵也。吾得《坤乾》焉！」鄭玄注：「得殷陰陽之書也，其書存者有《歸藏》。」這話很令人疑惑！《歸藏》在鄭玄時存在的是什麼形態？孔子得到的只是《坤乾》，即〈坤卦〉在〈乾卦〉前面。

　　哲學之書要留給概念思惟來解決，也就是「乾坤顛倒」！將《周易》乾坤顛倒，〈坤卦〉放在〈乾卦〉前面，那麼〈坤卦‧上六〉的「龍戰於野」就不致為貶義，而得以與〈乾卦〉六爻的龍呈一連動之勢，成為道的運動。這場天與地的戰爭極類似海德格（Martin Heidegger）所說：「世界與大地的衝突」！也就是世界經驗的普遍性與人類現實生活經驗的實踐智慧的衝突，也就是說世界的開放性與大地的隱蔽性的鬥爭。大地的優先性，使道的運動自大地的隱蔽性出現為天的開放性，故只有《坤乾》始為一完整的道的運動。

　　經文太簡，遂使陰陽變化在孔門《易傳》中最高只至君子的見用不見用的問題，而非道的隱蔽與開放的運動。《歸藏》易就是書寫在《周易》中的隱跡稿本，自《周易》後，被隱藏了三千年，或者說被儒家隱藏了三千年。《歸藏》易更接近歷史的實

---

[1]　方東美《原始儒家道家哲學》（臺北：黎明，1983），頁127。

在，母親的實在！

「龍戰於野」和〈乾卦・用九〉的「群龍無首」是《歸藏》易特有的智慧。這種概念的思惟與建構，只按照義理的必然；這不是假說，而是道的真實運動，是道的事件。這並不是自西方的思惟來勉強東方從之，而是中國本有卻被隱蔽的概念。從來不是亞洲，也不是歐洲，而是兩者之間；從來不是中國，也不是西方，而是中西交會。

海德格說：「世界把自己奠基於大地，和大地突出於世界。……世界，在依靠大地中，奮力要凌駕它。作為自我開放，它不能忍受任何自我封閉的。無論如何，大地作為庇護（sheltering）和隱蔽，常傾向於把世界拉回它自己和把它保持在那裡。世界和大地的對立是鬥爭（a striving）。」[2]這開頭的一句已把世界和大地的關係說得很清楚：世界要奠基於大地，而大地卻突出到世界裡。不惟如此，世界作為自我開放，那就是解蔽；大地作為自我封閉，那就是隱蔽。問題是：大地突出到世界中，並傾向於把世界拉回到它自己。故而，世界與大地是個鬥爭。但看來是大地雖與世界有難分難解的衝突，最後的勝利似屬於大地；因為世界是依靠大地，大地卻「有力地」突出到世界中，並傾向於把世界「拉回」到它自己。甚至可以說世界是誕生於大地！不然有何「拉回」可言？

「在較晚的作品中，而且從此，世界是：存有物的存有被它所照亮（或在它之中顯示），是更清楚地被認為是由傳統或文化

---

[2]　Martin Heidegger, "Poetry, Language, Thought." (New York: Harper & Row, 1975), p.49.

傳給我們的。」[3]世界是呈現（presence），屬於呈現（在場）的
形上學，它照亮存有物的存有，它是一套傳統或文化傳給我們的
價值觀念。所以，如果我們藉海德格世界與大地這兩個概念，來
改成儒、道傳統中天與地兩個概念，可以多少彰顯其中的關係。
譬如說儒家重超越性的天道，也就重傳統或文化傳給我們的價值
觀念；道家重隱蔽性的地道，也就重視橫貫性的生活經驗。至於
天與地的戰爭，即鬥爭，無論儒、道似乎都沒有這樣的意思。但
如果改成是天龍與大地的鬥爭，會不會稍有些熟悉感呢？所以
「龍戰於野，其血玄黃。」〈上六〉這句爻辭，即使〈文言〉亦
知「夫玄黃者，天地之雜也，天玄而地黃。」至於天龍的血為何
流出「天地之雜」的「玄黃」色，只是「想當然耳」地接受，反
正群龍在野外大戰。大戰的理由呢？「陰疑於陽必戰，為其嫌於
无陽也，故稱龍焉，猶未離其類也，故稱血焉。」（〈文言〉）
程頤《周易傳》解釋：「陽大陰小，陰必從陽，陰既盛極，與陽
偕矣，是疑於陽也，不相從則必戰。」[4]陽大陰小，陰既盛極，
陽必疑陰不相從，陽要打陰——「必戰」。「雖盛極不離陰類
也，而與陽爭，其傷可知，故稱血。陰雖盛極至與陽爭，雖陽不
能无傷，故其血玄黃，玄黃天地之色，謂皆傷也。」（同上）程
頤依《易傳》，陰盛到極點，唯恐被嫌无陽，故稱「龍」焉。陰
龍與陽爭戰，是「龍戰於野」，雖陽不能无傷，陰陽皆傷，是
「其血玄黃」。道的運動，天地之間的鬥爭，至此演成一齣家庭

---

[3] Hubert Dreyfus & John Haugeland, "Husserl and Heidegger: philosophy's last stand." in Michael Murray edited, "Heidegger & Modern Philosophy." (U.S.A.: Yale Univ., 1978), p.237.

[4] 程頤《周易傳》（臺北：藝文印書館，1978），頁 38。

鬧劇！而且天龍是陰龍，「其傷可知」，傷得比較嚴重！這裡充斥著荒誕不合理的情節。

本能的習慣支配著歷代的思惟，持傳解經的成規可能帶來的只是傳統的成見。「予謂六藝之學，即孔門所編之教科書也。孔子定《禮》、《樂》，贊《周易》，修《春秋》，而未修之六經易為孔門編訂之六經。……《易經》者，哲理之講義也……」[5] 這也就是說《周易》只是卦辭、爻辭，至《易傳》多了《十翼》，這都是「孔門編訂」，如果持傳解經是成規，「孔門編訂」後就掌握了解釋的霸權。不過這解釋的霸權把〈坤卦・上六〉爻辭「龍戰於野，其血玄黃。」在〈象傳〉就解釋為「龍戰於野，其道窮也。」這是因為陰盛到極點，對陰氣的貶抑。至於《周易》只是「乾坤顛倒間」的偷天換日，把〈坤卦〉擺到〈乾卦〉之後；致使〈乾卦〉的潛龍、見龍、惕龍、淵龍、飛龍、亢龍，均與〈坤卦・上六〉的龍無關，因為這是一條「為恐无陽」而稱的龍，是陰龍、假龍。也就是說〈乾卦〉的龍是君子人格的象徵，顯現在進德修業、奮進不已的過程中，〈坤卦〉的龍是陰龍則流血，受傷慘重！龍的運動從〈乾卦〉開始，〈坤卦〉前五爻無龍，隔著這五爻，則〈上六〉這爻的爻辭出現一條陰龍、假龍，有這麼荒謬的「哲理」？

由此我們推定：《周易》的定本，只是將《歸藏》的《易經》在〈乾卦〉、〈坤卦〉動了手腳！所謂動了手腳，也只是更動了順序，「我欲觀夏道，是故之杞，而不足徵也，吾得夏時焉。我欲觀殷道，是故之宋，而不足徵也，吾得坤乾焉。《坤

5　劉師培《國學發微》（上海：華東師範大學，2015），頁9。

乾》之義，《夏時》之等，吾以是觀之。」《禮記・禮運》夏代之道，在杞國，文獻資料不夠證實，只得夏時的曆法書；殷商之道，在宋國，文獻資料不夠證實，只得到《坤乾》的順序。商朝（約前1600年－約前1046年）和周朝（前1046年－前256年）之間的時間距離很難超越，孔子是以「《坤乾》之義」來看殷商之道，這樣來說，至少在哲理上，《坤乾》和《乾坤》劃開了商朝與周朝的距離。商朝是母親的實在，周朝是父親的實在！[6]

《歸藏》易的順序：

坤☷☷

坤：元亨，利牝馬之貞。君子有攸往，先迷後得，主利。

　　西南得朋，東北喪朋。安貞吉。

初六：履霜，堅冰至。

六二：直方大，不習无不利。

六三：含章可貞，或從王事，无成有終。

六四：括囊，无咎无譽。

六五：黃裳，元吉。

上六：龍戰於野，其血玄黃。

用六：利永貞。

乾☰☰

乾：元亨利貞。

[6]　我在九年前即將《易經》與《易傳》分論，以海德格「世界與大地的鬥爭」義說《易經》、《歸藏》方向，但未進一步釐清《歸藏》與《周易》的分別，趙衛民《簡明中國哲學史》（臺北：學生，2012），頁25。

初九：潛龍，勿用。

九二：見龍在田。

九三：君子終日乾乾，夕惕若厲，无咎。

九四：或躍在淵，无咎。

九五：飛龍在天，利見大人。

上九：亢龍有悔。

用九：見群龍无首，吉。

重建《坤乾》是重建商朝的哲理或義理，母親的實在。〈坤卦〉在〈乾卦〉之前，是以橫向度的實踐的存有論為優先地位，這樣就無所謂人之所以為人的超越實體，來建立實有性的超越根據。我們得直接面對卦辭、爻辭。《坤卦・卦辭》一開始就是「元亨，利牝馬之貞。」源頭是亨通的，為何利於母馬的貞定自己，因為母馬柔順健行，也就是說生命貴在實踐。問題是源頭是亨通的，卻不樹立人之所以為人的超越實體，故根源只能在存有論。「牝馬」既是母馬，那麼在實踐的過程中，必有類似母馬健行的過程、懷孕生產的過程，創造生命的意義。

「君子有攸往，先迷後得，主利。」尼采所謂「遙情的羽箭」（the arrow of distance）：我們未來投射的目標，總是在過程中不斷地實驗、摸索，因而是沙特（Jean-Paul Sartre, 1905-1980）所謂存在先於本質。因此在時間的先後來說，一開始是「在迷中的存有論」，我們總帶著許多迷惑，摸索自己的可能性，這特異性的生命，直到抓住自己的方向。

「西南得朋，東北喪朋，安貞吉。」一般以西南陰方、東北陽方來論，也有以文王八卦說：坤卦是西南位，艮卦是東北位，

那麼離開懸著禁令的酋長社會到母系社會，也是歸藏的大方向。但無論如何選擇志同道合的朋友，也要合於貞定自己的方向，就無《易傳》等所謂「陰必從陽」的問題。在實踐的存有論中首要提出的是實踐智慧學（phronesis）：在橫向度的生活經驗的摸索中，必有整合複雜的經驗線索，以成為可以為依歸的實踐模式的問題。在實踐智慧學上所提出的格言是〈初六〉的爻辭：「履霜，堅冰至。」這必不能以乾卦為本位的說法如〈象傳〉：「履霜堅冰，陰始凝也，馴至其道，至堅冰也。」「陰始凝也」是陰氣開始凝聚，總代表不好的品質。現在我們在經驗的判斷上，「霜」代表初步的觀察，那麼如果這樣的行為實踐導致「霜」的結果，如果同樣的行為模式不改變，越演越烈，將會導致「堅冰」的結果。所以為怕「堅冰」的結果產生，會導致「霜」的情況的行為模式也應避免。這不是賭注，或許多少有些實驗性；但在有些不好的結果產生時，避免進一步的惡化。故而好壞判斷取代善惡判斷！而且在身體上產生由淺至深的寒冷感受。「直、方、大；不習，无不利。」〈六二〉爻辭正是生活經驗的橫貫性、廣度量。

　　〈六三〉「含章可貞」是含著內在美，不喧嘩取寵。所以跟君王做事，沒成就，也可善終。由這樣的行為模式，產生的是「括囊」的行為模式，這其實是束緊囊口、韜光養晦的方式。無論如何，沒有先在的價值觀念！而是在經驗中實驗所體會的價值逐步修正。〈六五〉的「黃裳」，黃原是土地的顏色，因為行事低調而得民眾的推舉成為王，垂衣裳而天下治。

　　無論如何，〈坤卦・上六〉的「龍戰於野，其血玄黃。」是天與地的鬥爭，是世界與大地的鬥爭。世界作為傳統的文化價值

已失去了它雄渾淋漓的創造性，天龍（單數？多數）在無人的原野（大地）血戰，存有（甚至未來可能性的交戰）也要歸於隱沒，故天龍（天道）已無力再持續，歸回大地。任何超越性的理想來自現實生活的體驗，來自大地精神；故而這是新舊交替的時刻，是一種強壯的虛無主義，是實踐的存有論引發新的存有紀元的可能性。存有的紀元還待開始。故坤卦展開的是此有在世的存有論，乾卦是存有的紀元。

第二節　龍的傳說

　　一般所重視的文獻是《禮記·曾子問》，多有孔子「吾聞諸老聃曰」，並有「昔者吾從老聃助葬於巷黨」，《禮記》為孔門所編訂，孔子問禮於老聃何可置疑！另外司馬遷《史記·老子韓非列傳》很明確地記其對話，主要是「司馬遷既出自這種有道家傳統的家庭，自己又『從孔安國問故』，信仰儒家，卻遠過於道家；所以他能了解道家，而又不會故意為道家撐持門面。」[7]司馬遷信仰儒家，了解道家；記的正是「問禮於老子」一事。

　　老子曰：「子所言者，其人與骨皆已朽矣，獨其言在耳。且君子得其時則駕，不得其時則蓬累而行。吾聞之良賈深藏若虛，君子盛德容貌若愚。去子之驕氣與多欲，態色與淫志，是皆無益於子之身。」

7　徐復觀《中國人性論史·先秦篇》（臺北：臺灣商務，1977），頁483。

　　孔子問禮，因為老子是「周之守藏史」，周朝「國家圖書館館長」。孔子所問多是文獻史料所保存的精神，故老子說這些人都已死，禮要相應於活的精神，否則只剩「死的語言」。君子顯達時有車駕可乘，如果沒有顯達的機緣，只好像蓬草飄轉而行。禮豈不是要因時制宜？良好的商人錢藏得很深卻好像一無所有，君子有盛大的德性，容貌卻像愚笨的人一無所知，你要拋棄驕傲和過多的欲望，這對你皆無益！

　　禮要因時制宜孔子可以了解，因他是「聖之時者」。為何德性盛大還要像愚者一無所知一樣，就很難了解。因為孔子說：「文王既歿，文不在茲乎？天之欲喪斯文也，後死者不得與於斯文也！天之未喪斯文也，匡人其如予何！」（《論語·子罕》）這就是孔子對文化道統有一深刻的自我評價，有道成肉身的意味！這文化道統也包含文獻資料，自周文王後孔子一人而已，這就是孔子的驕氣與多欲。自信德性盛大，老子卻要他像愚者一無所知，所以孔子覺得老子神龍莫測。

　　孔子雖走了一條與老子不同的路，其中也包含著誤解和不理解，「吾述而不作，信而好古，竊比於我老彭。」（《論語·述而》）孔子敘述古代的知識，相信而喜好古代的典籍，私下比擬於老子。「其在堯時之彭祖則聃之始祖也。其在商時之彭祖則堯時彭祖之子孫，而亦老聃之祖父也。古者父子祖孫可以同一名，歷數世數十世而不變。」[8]老彭是合老於彭稱之。這可見孔子對老子之景仰，且以此「禮樂之原」為文化道統，的確對老子有些莫測高深。問題是孔子的「信而好古」，是老子所謂的「能知古

8　江瑔《讀子卮言》（臺北：成偉，1975），頁 111-112。

始，是謂道紀。」（《老子・十四章》）嗎？「古始」，古代的
開端是一種力量，道的紀元的力量。《莊子・天運》中也有一段
「孔子見老聃歸，三日不談」的事件。

> 孔子曰：「吾乃今於是見龍！龍合而成體，散而成章，乘
> 乎雲氣，而養乎陰陽。予口張而不能嗋，予又何規老聃
> 哉！」子貢曰：「然則人固有尸居而龍見，雷聲而淵默，
> 發動如天地者乎？」

　　「好古」和「知古始」是完全不同的方向，前者看後者像是
「見龍」，所以說又哪能規勸老子呢？孔子見到龍是口張而不能
合！孔子描寫龍的具體形象：合起來可以看到牠的形象，分散開
來也有其美感，乘駕在雲氣中神龍見首不見尾，而在陰陽氣化中
涵養。子貢說：「難道人可以靜時像空殼，動時如神龍變動不
居，說話時如雷聲震動，沈默時卻如同深淵？龍的變化像天地發
動，啟動了宇宙的生命力」，莊子已藉孔子、子貢的口，描述老
子如「王德之人」：「忽然出，勃然動，而萬物從之乎！」
（《莊子・天地》）

　　真正的關鍵在於孔子的「信而好古」是文化道統，而老子的
「能知古始」是由「道者，萬物之奧。」（〈六十二章〉）來開
展；一個是人（文），一個是（萬）物。那麼對比一段經文：
「道生之，德蓄之，物形之，勢成之。」（《老子・第五十一
章》）及「志於道，據於德，依於仁，遊於藝。」（《論語・述
而》）會產生什麼結果？那就是不可能有兩個大哲學家在基本概
念思惟上如此相近。四個概念重複兩個優位概念，而且我們不要

忘記：老子著《道德經》，上篇〈道經〉（〈第一至三十七章〉），下篇〈德經〉（〈第三十八至八十一章〉）。道、德兩字幾是老子創造的概念，如說是古道，至少是專擅的概念思惟；「道之尊，德之貴，夫莫之命而常自然。」（〈第五十一章〉）這兩個上位概念，看來是萬物的奧祕；不過這話說得太快，道是萬物的奧祕，所以是廣大之道。至於德，是萬物一一個別的奧祕，其特異性也是奧祕之所在。老子以「道生之，德蓄之。」各一個動詞來表現，道只能生發各式各樣不同的力量，德結聚成不同的差異性；道是對萬物說，德是對個別物說。老子對道、德兩個基本概念，是很明確地展示。老子的道對萬物說，故是廣大之道。

　　至於孔子，「志於道」是全副意志仰望的目標，未來的目標。只是慢慢的，這個目標成為超越性。「天喪予！天喪予！」（《論語·先進》）這是當顏淵死時，孔子視同天要喪亡他；顏淵是孔子德業繼承人。世界消失了，天是埋怨的對象。「不怨天，不尤人，下學而上達。知我者，其天乎！」（《論語·憲問》）下學是世界的知識，特指禮樂等文化道統，上達天道；故孔子與天達到相互喻解的感受。孔子曾指出天的創生性：「天何言哉！四時行焉，百物生焉，天何言哉！」（《論語·陽貨》）天道只是時間的運行並創生出百物，這是天道的創生性，故下學要上達到天道的創生性，必須以文化道統為主。「久矣，吾不復夢見周公。」（《論語·述而》）周公制禮作樂，這是孔子之夢，奇怪地又把時間朝向「過去」美好的事物，崇高的而被視為是文化起源的運動。故而仁人志士不能對此無深刻的感受。故而我們現在知道老子與孔子關注（concern）的差別：老子「能知

古始，是謂道紀。」（〈第十四章〉）古時候的開端，是宇宙能量的爆炸，這種能量的運行，是道的紀元（epoch）。而孔子最後是等同於天道的創生性，但時間只是循環，又等同於文化道統，指向文化起源的過去。

　　老子是道家宗師，孔子是儒家宗師，最重要的兩個概念相同，這就是無可置疑的師生關係！儒家的歷史一直要淡化甚至抹去這個痕跡。孔子對德的概念一直不夠明確，有時指道德性，好像又不能離開環境的條件。「為政以德，譬如北辰，居其所而眾星拱之。」（《論語‧為政》）你還是要找到適當的位置。「里仁為美，擇不處仁，焉得知？」（《論語‧里仁》鄉里的環境成為行仁的依據，根據地，要選擇你的根據地。「道聽而途說，德之棄也。」（《論語‧陽貨》）「道聽而途說」像海德格的閒談（idle talk），「日常此有的自我是他們的自我，這不同於本真的自我——」[9]德是指這「本真的自我」嗎？「鄉愿，德之賊也。」（《論語‧陽貨》）媚俗會敗壞我們的本真性。有時與人性相近：「性相近也，習相遠也。」（《論語‧陽貨》）本性相近，應該是指近於良善（孟子的「性」就指普遍的道德性），只是習氣的沾染使我們遠離良善。故而德雖是行仁的依據，有時也要看環境的條件，到底是指「本真的自我」或道德性並不穩定。

　　看起來孔子的「信而好古」，與老子的「能知古始」產生很大的距離；老子是橫貫性，孔子是縱貫性。孔子只能放在仁的真情實感（pathos）上，而也已預設自我約束的性格（ethos）。

---

[9]　Martin Heidegger, "Being and Time." John Macquarrie and Edward Robinson, (U.S.A.: Horper and Row, 1962), p.167.

「自我約束的性格：情緒的鎮靜態度，高貴心性的展露。」[10]這是為何仁的真情實感，表現了自我的超越性，也就是文化道統的超越性！只不過「信而好古」把時間朝向過去，也將壓抑我們面對未來的創造性。

10　佛里德里希・尼采《古修辭學描述》（上海：上海人民，2001），頁114。

第三章　龍戰於野

——中國另一個開端

前　言

　　在《易經・坤卦上六爻辭》曰：「龍戰於野，其血玄黃。」是上古哲學最為雄辯的一段文字，也是儒道之間的雄辯。《周易》以〈乾卦〉為首，故以「持傳解經」之成規，本著〈彖辭〉所說：「乾道變化，各正性命。」可以釋乾道為天道。而把「六位時成，時成六龍以御天」釋為天道在君子的化成。不過可以有另一種讀法，就是以坤卦為首。〈文言〉曰：「夫玄黃者，天地之雜也，天玄而地黃。」即使儒家詮釋系統，也含有〈坤卦〉講的是地道之意。如果儒家以天道為主，道家可不可以以地道為主呢？這樣重讀，「龍戰於野」就成為天與地的爭鬥，最後是天龍流出大地顏色的血液，大地精神成為依歸。這可以成為道家之易，海德格亦有「世界與大地的鬥爭」，可以互相發明。

第一節　《歸藏》易出土

　　《歸藏》易找到了！《歸藏》易一向視為在歷史上已消失，如何得以鉤沉？首先來自《周易》中見到〈乾卦〉是由〈卦辭〉「元亨，利貞」開始，「初九：潛龍勿用。」「九二：見龍在田，利見大人。」「九三：君子終日乾乾，夕惕若厲，无咎。」「九四：或躍在淵，无咎。」「九五：飛龍在天，利見大人。」「上九：亢龍有悔。」「用九：見群龍无首，吉。」似乎完美和諧且一貫，如〈文言〉釋「潛龍」為「龍德而隱者」，龍成為君子向聖人超越的道德性，可隱可顯，可「遯世」可出世的聖人之德。

　　至於〈坤卦〉，〈象〉說：「大哉坤元，萬物資生，乃順承天。」好像是物質性順承天道的精神性，本身並無獨立存在的意涵。故而「初六：履霜，堅冰至。」的爻辭，〈象〉曰：「履霜堅冰，陰始凝也。馴致其道，至堅冰也。」〈坤卦〉本身是純陰之卦，故〈初六〉是陰氣開始凝結，並未顧及到「陰氣」與「六四：括囊，无咎无譽。」的立身處世，保持「隱晦」的姿態在語意上的差異，以致於在〈上六〉時面對爻辭「龍戰於野，其血玄黃。」〈文言〉曰：「陰疑於陽必戰，為其嫌於無陽也，故稱龍焉；猶未離其類也，故稱血焉。」「龍戰於野」這上古最美麗、雄辯的意象，龍卻成為「偽」龍！是六爻全陰之〈上六〉要變卦之象。〈乾卦〉的龍是聖人之德，到〈坤卦‧上六〉卻出現一條假龍，「為其嫌於無陽也」而稱龍多麼彆扭不順。

　　按《周易》的現行讀法即首乾次坤，〈坤卦〉並無真正的獨立性。〈文言〉非常清楚〈坤卦〉是「地道也，妻道也，臣道

也，地道無成而代有終也。」地道只能順承天道，而無獨立的意涵。也知道「其血玄黃」是指「夫玄黃者，天地之雜也，天玄而地黃。」只不過天道在地道（〈坤卦〉）中無實義。龍可不可能代表天地之間的戰爭，即道的運動？因為「天地否」和「地天泰」本身就是天地的運動，如果天在地上，按常規、習俗則天地不交；天地交泰特要地氣向上的翻騰、戰鬪！

　　《禮記‧禮運》記載孔子說：「吾欲觀殷道，是故之宋，而不足徵也。吾得《坤乾》焉！」鄭玄注云：「得陰陽之書也，其書存者有《歸藏》。」《歸藏》首坤次乾，如果由〈坤卦〉開始，至〈上六〉的「龍戰於野」，連接上〈乾卦〉各爻的龍，就殊無違和之感，而且〈坤卦〉和〈乾卦〉就成為連貫的運動。「龍戰於野」成為龍在大地掙扎的負傷景象，成為大地精神突出到現實世界的景象，成為新穎的創造與生產。

　　其實《歸藏》的秘密不在於宋國的文獻資料不足證明、不足以採信，而只將《周易》的首乾次坤改成首坤次乾。這乾坤顛倒的方式，就可以暴露出《歸藏》的真面目；這是「不需徵」，不需證明。孔子錯過了陰陽變化，也只是道的隱蔽、解蔽的運動；儒家之眼錯過了道家易也是很正常的，以致《歸藏》易竟失落在上古的原野中。

　　一般按照古代社會的演進，古代有三易：《連山》、《歸藏》、《周易》。「《周易》雖然『乾坤並建』，卻是首〈乾〉，從〈乾〉開始，從『乾元』開始。《歸藏》照周禮的說法卻首〈坤〉，這是人類社會的演進，父系社會在歷史上是後起的事，原始的社會是母系的，母權第一，而母權第一的時代不首〈乾〉，可以首〈坤〉，再如《連山》，既不首乾，也不首

〈坤〉，乃首〈艮〉。」[1]《連山》是連續不斷的禁忌，是極原始的部落社會；《歸藏》是母系原則，原始的母系社會；《周易》是父系原則，後起的父系社會。至於說以哪一卦為主，那不過是說以那個概念為主。如果撇開極原始的古代社會甚至部落社會不論，乾象天、坤象地：《歸藏》首〈坤〉是母系原則、大地精神；《周易》首〈乾〉是父系社會、天道精神。前者是「萬物莫不歸藏於其中」，後者是儒家的道德形上學。

第二節　《坤乾》

在《禮記·禮運》中：「孔子曰：吾欲觀殷道，是故之宋，而不足徵也，我得坤乾焉。」鄭注云：「殷陰陽之書，存者有歸藏焉。」是亦以《歸藏》為殷易矣。[2]《歸藏》是殷商的陰陽之書，只不過這陰陽之書，現在是以輯佚的方式存在；回溯孔子到宋國的探索，殷商之道沒有足夠的文獻，所得只有《坤乾》。如果這「不足徵」是「不須徵」，那麼在孔子眼皮底下就錯過了，以為只是《坤乾》的秘密。也就是陰陽的問題！

據《史記·老子韓非子傳》中說：「孔子適周，將問禮於老子。老子曰：『子所言者，其人與骨皆已朽矣，獨其言在耳。且君子得其時則駕，不得其時則蓬累而行。吾聞之，良賈深藏若虛，君子盛德容貌若愚。去子之驕氣與多欲，態色與淫志，是皆無益於子之身，吾所以告子，若是而已。』孔子去，謂弟子曰：

---

[1]　方東美《原始儒家道家哲學》（臺北：黎明，1983），頁 127。
[2]　馬國翰《玉函山房輯佚書·歸藏一卷》。

『鳥，吾知其能飛；魚，吾知其能游；獸，吾知其能走。走者可以為罔，游者可以綸，飛者可以為矰。至於龍，吾不能知其乘風雲而上天。吾今日見老子，其猶龍邪！』」根據答問，孔子所問莫非是歷史上的名人曰某種禮在形式上應如何施行！老子說：「言語『是死的』（感受是活的），況且禮是君子要「得其時則駕」，「不得其時」則像蓬草飛行，轉停不由自己，也就沒有禮的問題了。孔子所不能知的事問禮為何會與「良賈深藏若虛，君子盛德容貌若愚」有關，也就是說禮的實踐是「君子盛德」，卻為何要「容貌若愚」？況且既然是問禮，為何還會有「驕氣與多欲，態色與淫志」？能知魚鳥的可以「捕獵」，不能知的不能捕獵，因為老子猶龍「乘風雲而上天」。神龍莫測，是因神龍見首不見尾，這也是因為風雲所遮蔽。能知的部分為「陽」，不能知的部分為「陰」。孔子能知的是「君子盛德」，這是陽的部分；不能知的部分，陰會造成陽的部分向陰的部分轉換，故「容貌若愚」。故而「君子盛德」是達到了人文主義的極致，卻帶有「驕氣與多欲，態色與淫志」的志得意滿，必得去掉這陽的部分以向陰的部分轉換。是否《歸藏》的《坤乾》，也只是孔子所不能知的陰陽的問題？

　　「孔子曾問禮於老聃，奉之為嚴師（見史記），儒學脫胎於道家無可諱言，故孔子竊比於老彭，而有猶龍之歎。（按老子老聃老彭即一人）」[3]。儒家出於道家，且孔子以老子為楷模。《莊子‧天運》中說：「孔子見老聃歸，三日不談。弟子問曰：『夫子見老聃，亦將何所規哉？』孔子曰：『吾乃今於是乎見

3　江璜《讀子卮言》（臺北：成偉，1975），頁80。

龍！龍，合而成體，散而成章，乘乎雲氣而養乎陰陽。予口開而
不能嗋，予又何規老聃哉！』子貢曰：『然則人固有尸居而龍
見，雷聲而淵默，發動如天者乎？……』」故老子的「猶龍」也
是「養乎陰陽」：坐著不動（陰）而神龍出現（陽），雷霆的響
聲（陽）而深淵般沉默（陰）；像天地般發動，天地也是陰陽的
問題。

　　以上的陳述是把《周易》作為中點，《周易》固是群經之
首，《周易》也是儒家的經典。《周易》按一般的說法只有卦
辭、爻辭；故一般要解釋《周易》，多以持傳解經的成規，也就
是以孔門《易傳》來解釋《周易》了。故以《周易》作為中國古
代哲學的開端，那麼就按《易傳》來詮釋，這是徹徹底底的儒家
詮釋系統。是以殷商之道的《歸藏》只是微弱的一抹痕跡，幾已
全被抹去。孔子曾到宋國去，找不到什麼資料，但是得到《坤
乾》！孔子在當時得到的只是〈坤卦〉在〈乾卦〉前面。一般來
說，得到的結論大約只是：「陰陽之書《坤乾》即《歸藏》的說
法。」[4]這正如《莊子·天下》之「易以道陰陽。」另外如以首
〈坤〉和首〈乾〉的方式來分，「《坤乾》首坤次乾，反映『殷
道親親』，《周易》首乾次坤，反映『周道尊尊』。」[5]後者可
以說是政治思想和制度：商朝的母系社會以親親為原則，周朝的
父系社會以尊尊為原則。如果《易經》有哲學思想，《歸藏》的
陰陽之說，很可能是個關鍵；那就會是古代哲學思想的另一個開
端（another biginning）。

---

[4]　李學勤《周易經傳溯源》（高雄：復文，1995），頁 46。

[5]　金景芳講述、呂紹綱整理《周易講座》（臺北：韜略，1996），頁 20-21。

陰陽變化

如果《坤、乾》含著陰陽變化的「秘密」，這是很可能逃脫掉孔子的眼睛。因為只有順序的不同，而孔子的道德之眼，也看不出任何差異。在孔子的道德形上學中：「……重點則在形上學，乃涉及一存在而為言者。故應含有一些『本體論的陳述』與『宇宙論的陳述』……意即由道德的進路來接近形上學，或形上學之由道德的進路而證成者。」[6]也就是道德之眼看不到不「由道德的進路來接近形上學」的陰陽變化。

陰陽變化在道德形上學看，可能是另一種型態，那就是把「得其時」與「不得其時」還原為知與不知，見用與不見用的問題，與人的德性聯結在一起。就如孔子看老子「其猶龍邪！」雖有點神龍莫測的意味，但在儒家系統中總套入「人不知而不慍」（《論語・學而》）或「龍德而隱者也。不易乎世，不成乎名，遯世無悶，不見是而無悶。樂則行之，憂則違之。確乎其不可拔，潛龍也。」（《易・文言》）講的是君子無所成名，即使隱藏於世界一角，也確立挺拔自己的行為舉止而不改變。故而陰陽變化在儒家的道德的形上學來看，乃君子之道是否被世人承認的「名之隱顯」！故未被承認時「遯世無悶」，但一生的人格價值總希望獲得別人承認，「君子疾沒世而名不稱焉」。簡單說：聲名未顯揚時，要耐得住寂寞，或可說是儒家的陰陽變化。〈乾卦〉的卦辭與爻辭是君子見用與不見用的過程套在「名的隱顯」的模式來談；天道即超越之道，也是君子之道。

但是現在，我們要把注意力放在〈坤卦・上六〉，爻辭是

---

[6]　牟宗三《心體與性體　第一冊》（臺北：正中，1973），頁3。

「龍戰於野，其血玄黃。」傳統的解釋是依〈文言〉：「陰疑於陽必戰。為其嫌於无陽也，故稱龍焉。猶未離其類也，故稱血焉。夫玄黃者，天地之雜也，天玄而地黃。」陰對於陽的猜疑，必然發生戰爭；為恐嫌自身無陽，故號稱為龍。而陰至極盛，仍未離其類，故受傷極重，仍稱血焉。這明顯是以〈乾卦〉為本的解釋，為了平衡，結尾說「夫玄黃者，天地之雜也，天玄而地黃。」「龍戰於野」這是上古最雄辯的意象；「其血玄黃」，既是「天地之雜也」，可否有另外的解釋呢？照〈文言〉的解釋是陰至極盛而偽裝成龍了，怎麼看來都覺是牽強。中國傳說這種「持傳解經」的成規，〈文言〉都變成經了，以至對《易傳》不敢有「疑經」的氣氛。

如果按〈乾卦‧爻辭〉看，由「初九，潛龍勿用。」，「九二，見龍在田。」，「九三，君子終日乾乾。」，「九四，或躍在淵。」，「九五，飛龍在天。」，「上九，亢龍有悔。」這就是〈文言〉「時成六龍以御天」之意：君子在不同的時機成就不同的龍，以駕御天道，那麼龍豈非就是天道？「用久。見群龍無首，吉。」也符合〈文言〉九三的「乾乾因其時而惕」，君子的見機而作，乘駕不同的龍，乃是合乎天道；君子之道是要合乎天道的運行。龍是君子的精神象徵。但如果按〈坤卦‧卦辭〉看，出現的是牝馬，到了〈上六〉說陰至極盛，偽稱為龍，這是把〈乾卦〉、〈坤卦〉列為兩系統，到了〈上六〉明顯譴責陰至極盛：「陰盛至極，至與陽爭，兩敗俱傷。」[7]不僅譴青陰至極盛，而且是陰陽相爭，這就明明有陰陽兩樣東西，這就把〈文

7　朱熹集註《周易本義》（臺北：皇極，1980），頁23。

言〉的「陰疑於陽必戰」的「必戰」落實了。如果由〈潛龍勿用〉、〈見龍在田〉到〈飛龍在天〉其實明顯有一精神的上行過程，故到〈亢龍有悔〉是高亢至極，故〈文言〉曰：「亢之為言也，知進而不知退，知存而不知亡，知得而不知喪，其唯聖人乎，知進退存亡而不失其正，其唯聖人乎！」那就是高亢時要警惕，只有君子之道達到聖人之道，才能「知進退存亡而不失其正者」。有亢龍高亢的位置到「龍戰於野」就有位置下落的問題，問題是這兩者一在〈乾卦·上九〉，一在〈坤卦·上六〉，沒有連動，中間還隔著〈坤卦·卦辭〉、〈初六〉至〈六五〉，顯得相當彆扭不自然。

第三節　先迷後得

如果僅是更動〈乾〉、〈坤〉的順序，是否可以造成自《周易》到《歸藏》的移轉？也就是經文本身不變，只是改變順序，可否是出《歸藏》的形跡？這是本文的嘗試。

〈坤卦〉卦辭曰：「元亨，利牝馬之貞。君子有攸往，先迷後得。主利。西南得朋，東北喪朋。安貞吉。」「元」字即「根據」義，「孔子之內聖學，便掃除天帝。而將天字之義，改易為宇宙實體之稱。〔宇宙，猶云萬有。〕亦名為萬有之元。〔元者，原也。猶云根源或本原。〕但元，不在萬有以外，而是萬有之實體。〔譬如大海水，不在眾漚以外，而是眾漚的自身。以此眾漚，比喻萬有。以大海水，比喻實體。〕」[8]故「天」即是

---

[8]　熊十力《乾坤衍》（臺北：學生，1980），頁165。

「元」，天即是宇宙萬有之元。但是宇宙萬有的實體，不在宇宙萬有之外。這是湖北黃岡熊十力（1885-1968）以新儒家之觀點對「元」字之說明，實體即流行，大海水即眾漚。這當然也是一本儒家的天道觀，對《周易》所作之詮釋。〈坤卦〉畢竟是按照〈文言〉對六三爻的解釋：「陰雖有美含之，以從王事，弗敢成也。地道也，妻道也，臣道也。」現在不是以「天」而是以「地」作宇宙萬有的來源或本原；自然不是天道觀，而是大地之道。〈文言〉的「陰『雖』有美含之」，好像有便虛歉的意思。但從以坤卦為主的立場，取掉「雖」字即可，地道、妻道、臣道均毫無虛歉。

「利牝馬之貞」中「牝馬」是母馬，不僅開展出女性的存有論，而且在我們的生活實踐中孕育著創造，生產與創造。〈象傳〉曰：「柔順利貞」，並沒有錯。即是在我們柔順以應物的實踐智慧中，有利於貞定自己。馬是健行，生活原是努力實踐；而牝是柔順、沉默。在這樣的實踐的智慧中，「君子有攸往」，君子有所往，這原是方向的倫理。「先迷後得」放在卦辭上說，應是指明了人的存有論結構。也就是海德格（Martin Heidegger, 1888-1976）在主要著作《存有與時間》（"Being and Time"）所完成的此有詮釋學。「此有（Da-Sein）必須在此，此（there）是世界：具體的、原本的、實際的、日常的世界，成為人是浸沒、嵌入、奠基於大地，在每日發生的，世界的問題的事實。（「人」有 humus，拉丁語是「大地」）」[9]大地與世界是兩個概念，似乎接壤於日常世界。所以「君子有攸往」的往哪裡去？

9　George Steiner, "Heidegger." (London: Fontana, 1978), p.81.

是往世界去！現在「先迷後得」指的就是此有「落入『常人』和關心的『世界』，這是我們稱為『逃避』於面對自己。」[10]故而「先迷」是存有論上必然的墮落或沉淪（fall），故而必須下定決心面對自己不由常人決定的價值來決定自己，這才是生命最大的利益。「西南得朋，東北喪朋」，則是下定決心選擇面對存有負責的朋友，在〈坤卦〉中，存有（Being）就是大地之道，海德格所謂在世存有（Being-in-the-world），但你得從日常世界轉開──「喪朋」，也就為離開常人和其關心的世界，選擇面對大地之道的朋友──「得朋」。

履霜，堅冰至

「初六，履霜堅冰至。」「霜」與「冰」是在時間上有一凝結的過程，也就是由「履霜」必然導致「堅冰」的到來。故在實踐的智慧上必須小心謹慎，一切微小的行為如產生不好影響，就形成微小的朕兆與形跡；而這微小的朕兆與形跡如未充分重視，與改善，就會形成巨大的災害。霜與堅冰，是同質的，而且是生命與環境的遭遇，這並不是一條道德原則，而是一條倫理原則。這並非道德主體的善與不善，而是環境的好與不好。遇到不好的環境，如不知趨吉避凶，可拂去的霜將會變成不可摧破的堅冰。這生命自我保存的本能，以好的和不好來代替善與惡的價值的標榜，也成為學習符號的符號學。這種符號學把人與環境的關係納入了倫理學原則，這種自我保存的生命本能，成為大地之道的首

10　Martin Heidegger, "Being and Time." John Macquarrie & Edward Robinson trans., (U.S.A.: Haper & Row, 1962), p.230.

出性。「如果我們在經驗中遇到與我們身體並不相合的物體，它有以悲傷影響我們的效果，（減少我們的行動力）……但是相反，當我們遇到與我們相合的物體和有以歡樂影響我們的效果，這歡樂（增加我們的行動力）……。」[11]這是經驗中我們的身體與物體遭遇時的感受，簡單說我們要避免形成與我們身體不相合的物體，以致減少我們的行動力；否則堅冰來到時寒冷將凍僵我們的身體。故而「履霜，堅冰至」構成我們的身體與外在環境相互作用時的一個符號，當你身體感覺有霜意時，你要知道堅冰會跟著來到。那麼我們想要增加我們的行動力時，實踐地要構成共通觀念，雖然〈坤卦‧卦辭〉指是警惕我們小心這樣的符號：不要讓這一點點不好的感覺擴大！所以〈初六〉還是提出了一個共通觀念。「共通觀念是藝術、倫理學本身的藝術：組織好的遭遇，組成實際的關係，形成力量，實驗。」（同上，頁 119）。德勒茲（Gilles Deleuze, 1925-1975）說明的斯賓諾莎倫理學，似乎正是〈初六〉所企圖表達的：要增加我們的行動力，必須要組織好的遭遇。

　　「六二：直方大；不習，无不利。」如果我們根據〈初六〉所形成的共同概念，生命的道路平直、方正、廣大，即使沒有另外的學習，也不會產生什麼不利。可見這〈坤卦‧初六〉的共同概念是倫理學基本原則，以一種格言的方式表達，是經驗的智慧。〈六三：含章可貞；或從王事，無成有終。〉「含章」即含美，內在含著美，可以貞定自己。而這內在原來自外在的共同概

11　Gilles Deleuze, "Spinoza: Practical Philosophy." Robert Hurley trans., (San Francisco: City Light Books, 1988), p.118.

念，故倫理學所確定的關係原則，由選定的外在關係凝結出內在，而由內在投射到外在關係。這樣當在外在關係終遇到像王這樣有絕對權威或生殺權力的人，也要想辦法「組織好的遭遇」。也就是在與王的相互作用構成力量—關係時，那不是衝突和減損，而是和諧和擴大行動的力量。那麼即使沒有成就，也能保全生命。

　　「六四：括囊，無咎無譽。」這也可以說是倫理學的藝術中所形成的第二個共同概念，在外在環境中遇到更高權力的個體時，我們必須「收括囊口」，謹言慎行，猶如韜光養晦，隱藏自己，這樣無人歸咎於你，也沒有顯揚的榮譽。無論歸咎或榮譽都是來自外在的，而你自己封存在隱蔽中保全生命。「六五：黃裳元吉。」按照人即其環境的還原法，「無物存留，除了動力量，在一種對其他動力量的張力關係中，動力量的本質在與其他量的關係中，在它們在相同之上的效果中。」[12]面對具有絕對權威或生殺權力的個人，如何在小的力量與大的力量的關係中，能保持和諧或擴大行動的力量，這樣終能使自己達到最大的力量，成為了「王」！「黃」是土地的顏色，黃裳則是王能與國家「組織好的遭遇」。「垂衣裳而天下治，如地之色，其文不著而大吉也，……王者當法地之色而垂衣裳也。」[13]這是與自己根源相通的吉祥。

---

[12] Friedrich Nietzsche, "The Will to Power." Walter Kaufman trans., (New York: Vintage, 1967), p.339.

[13] 胡樸安《周易古史觀》（臺北：明文，1989），頁9。

第四節　龍戰於野

「上六：龍戰於野，其血玄黃。」這是《易經》最為雄辯的一般文字，絕不能以《易傳》所謂「象曰：龍戰於野，其道窮也。」來解釋，但《易傳》常還保留原始精美的含意，如〈文言〉說：「夫玄黃者，天地之雜也。天玄而地黃。」龍之血，為何是「天地之雜也？」〈象傳〉的解釋由〈初六〉「履霜堅冰，陰始凝也。」到〈上六〉「龍戰於野，其道窮也。」是一貫的，故〈文言傳〉下的結論是：「陰疑於陽必戰。」只是「為其嫌於无陽也，故稱龍焉；猶未離其類也。故稱血焉。」「嫌於无陽」明顯是以乾卦為主，這種解釋也不成話；最美的一句話，可能含有中國文化的另一個開端，失落在上古的原野上。

〈文言傳〉認為龍屬陽，血屬陰；天龍屬陽，大地屬陰。不過這解釋奇怪的是：天龍是來自大地的「偽」稱，本身在〈坤卦〉中沒有實義！這樣的解釋錯過了天與地的戰爭，世界與大地的戰爭。但〈文言傳〉確實知道天龍來自大地。

「野」還是大地！《爾雅》云：「邑外曰郊，郊外曰牧，牧外曰野。」都城外是城郊，城郊外是牧場，牧場外是野外。基本上野外指的是無人的所在，大地傾向於隱蔽到不能以人為方式來設想的，故而這是大地屬陰的意思。天龍傾向於開放，掙扎、扭奪想保持在大地之上。「世界把自己奠基於大地上，而大地突出於世界……世界依賴於大地，力爭去凌駕它。做為自我一開放，它不能忍受任何封閉的。大地作為庇護和隱蔽，常傾向於把世界拉入自己和把世界維持在那裡。世界和大地的對立是一衝

突。……在鬥爭中，每一對手把他者帶到超越自己。」[14]世界和大地的對立衝突並非辯證的，因為基本上是道，道的隱蔽狀態是大地，道的開顯狀態是世界；這就是所謂「龍戰於野」，野是隱蔽的狀態，龍是開顯狀態。大地是隱蔽中的世界，世界是開顯時的大地，天道作為自我開放，地道作為自我隱蔽。

〈坤卦〉作為自我隱蔽的精神，只有在「六五：黃裳，元吉。」後從橫向的經驗主義，開顯一超越的世界，但此超越的世界來自橫向的大地。超越的世界是天道，橫向的大地是地道。故天是地中天，地是天中地。

以〈坤卦〉為主，開展的是天龍與大地的戰爭，但天龍來自大地。一方面卦辭表現了君子對本源（元）的追尋，故其所往必是往本源去，能通達本源的，才能健行於大地。故〈坤卦‧卦辭〉有類似海德格的此有詮釋學；而在爻辭中有與本源相通的實踐智慧學，可以定為類似德勒茲超越的經驗主義。「概念與感受（affects）不可分，即它們在我們生命中所激起的有力效應；也與感知（percepts）不可分，即它們在我們之中激起的看待或知覺的新方式。[15]也就是尋索出實際經驗的實在，經歷的事物總激起我們的感受與感知，而在經驗的積累中，我們終於學到倫理學本身的藝術。如何組織好的遭遇！甚至形成好的共同概念。到〈上六〉時，的確有像海德格「轉向」時所思考的「世界與大地的衝突」，所謂「龍戰於野，其血玄黃。」

---

[14] Martin Heidegger, "Poetry, Language, Thougnt." Albert Hofstadter trans., (New York: Harper Row, 1975), p.49.

[15] Gilles Deleuze, "Two Regimes of Madness." Ames Hodges and Taormina tans., (New York: Columbia Univ., 2007), p.238.

　　由龍的出現，才有〈乾卦〉來表現天道的超越性；而我們必得弄清楚「野」是無人的所在，也就是大道之道的非人格性，非主觀性。「對早期希臘人來說，存有之發生並非『思想』之戰勝，而是『自然』之『強烈力量』戰勝的一個方式。」[16]我們同樣也可說這情況也在中國發生，「野」正是「自然之強烈力量」戰勝的一個方式，我們以「野」來稱呼自然的另一個名稱：人地。這樣，《歸藏》似是《周易》掩蓋的「歷史的實在」，而《歸藏》的「原文」僅在乾、坤之顛倒，就構成美妙的「道說」！也只有這樣，天道的超越性運動似來自大地的橫向性運動，孔子在宋國所見的〈坤乾〉反倒構成道的運動。

道的紀元（epoch）

　　道的運動尤其在展開天道的超越性運動時，是道的紀元。這也強烈貼合老子所謂「執古之道以御今之有，能知古始，是謂道紀。」（《老子‧十四章》）古代的開端，中國古代道的運動是什麼呢？我們如把「龍當作龍德而隱者」的君子之道，就錯過了道的運動。

　　〈乾卦‧卦辭〉元亨利貞，仍是指與來源、根源通達，利於貞定自己。因無特殊性，看起來就較偏普遍原則。

　　「初九：潛龍，勿用。」龍所表現道的運動，並不適合視之為工具物的日常使用心態，必須離開日常使用的心態。或者說面對萬物，都必須離開日常使用的心態。人的生命的這一跳躍，離

---

[16] Werner Marx, "Heidegger and the Tradition." Theodore Kiesiel and Murray Greene, (Evanston: Northwestern Univ., 1971), p.140.

開了日常生活的現實根據，人的「跳躍突然地把我們帶到一切是不同的，如此不同，以致像陌生一般，吸引我們注意。」[17]

「九二；見龍在田，利見大人。」道的運動在「田」中得到表現，田不僅是人類生活的界域，也是農事技藝。這印證中國古史的以農立國，把自然生產的力量藉農事技藝的力量帶出來，進入了古代中國人的居住中。「technè 屬於帶出來，它是poietic……這樣在 technè 中決定的一點也不在製造或控制，也不在手段的使用，而在前述的顯露，它是作為顯露而不在製造，technè 是帶出來。」[18]這就是「勿用」的意義，「不在手段的使用」，是帶出來，有利於顯現在偉大的人物上；故有技藝的人，是類似於詩人的把自然的力量帶出來。

「九三：君子夕日乾乾，終惕若厲，无咎。」君子終日謹慎戒懼，生命的藝術在於把自然的力量帶出來，不敢懈怠。「九四：或躍在淵，无咎。」現在我們已知道空間的地點地確指涉到道的運動（時間），那麼潛龍的位置在那裡呢？當然在深淵裡。《帛書周易》的「坤」做「川」[19]，其實在古代來說，大地、大海、深淵幾乎交互指涉，深淵就在大地的深處，大地也本是道在隱蔽狀態的位置。潛龍是道在隱蔽狀態，故在深淵中潛藏，道在隱蔽狀態是不能用的，故以「无咎」這樣的命令詞來表現。君子是跟隨著偉大人物的創造性，實行了一跳躍，跳躍在深淵中，現

---

[17] Martin Heidegger, "What is Called Thinking?" J. Glenn Gray trans., (New York: Harper & Row, 1968), p.12.

[18] Martin Heidegger, "The Question Concerning Technolgy." William Lovitt trans., (U.S.A.: Harper & Row, 1977), p.13.

[19] 張立文：《周易帛書今注今釋》（臺北：學生，1991），頁 25。

實生命離開熟悉性，進入力量的沉潛狀態、隱蔽狀態。

　　「九五：飛龍在天。」「飛龍」是道的運動在一發光的昇起中，在天空中，為歷史的人類所見到。道作為解蔽發生，在天空中，高高地在上，超越的力量人見識到並尊崇它，這是崇高。道即大自然爆烈的力量被帶到天上，向所有歷史的人類呈現，輝煌且光明。「上九：亢龍有悔。」道的運動在　種呈現的狀態，必然持續一段時間，但高空的超越性離開了大地隱蔽的根源，離開了深淵。「存有的紀元屬於存有本身，我們是以存有隱沒的經驗來思考它。從存有的紀元來的是其命運注定的紀元本質，世界歷史恰當地包含於其中。……世界歷史的每一紀元是錯誤的紀元。」[20]「亢龍有悔」是因為每一紀元的錯誤，與存有的隱蔽脫離連結；世界的脫離大地，成為錯誤的紀元。

羣龍無首

　　「用九，見群龍无首，吉。」如要打破存有紀元的錯誤性質，存有在存有物全體的中間爆烈地發生不再是錯誤紀元的一元論，一元論屬於脫離大地的世界。「群龍無首」是多元論，道的一元論就是存有物存有的多元論，一就是多。如果由〈初九〉到〈九六〉表現的是道的紀元性，老子亦說：「執古之道以御今之有。」《老子・十四章》，「今之有」究竟是錯誤的紀元，而「古之道」與存有的隱蔽有親密的聯結，故而〈用九〉無非要避免區域的存有論的一元優勢，如現在所謂資本主義社會。故〈乾

---

20 Martin Heidegger, "Early Greek Thinking." (New York: Harper & Row, 1975), p.27.

卦・用九〉是打破時間的順序，使時間爆發，避免成為一個循環，而使六龍同時成立，以避免命運注定的錯誤的紀元，那麼乾卦將成為道的世界之展示。

　　經由〈坤卦・上六〉天與地之戰爭，〈乾卦・初九〉是對萬物的詢問，存有物全體中潛藏著猛烈地發生的力量，不要以任意使用的方式去面對它們。〈九二〉通過對物的命名，大地成為「田」──人類生活的界線，物的物化發生，把大自然暴烈的力量（生產）帶入人類的居住之中，「大人」命名了事物，所謂「神」，〈九三〉的君子是必死者或凡人，終日戒慎恐懼。〈九四〉是深淵，無限的大地，現實世界經過一跳躍，是道的世界。〈九五〉則是道的抵達（呈現或陽），〈上九〉是道的消逝（隱蔽或陰），抵達和消逝是同時的。「被命名的是物，這樣召喚，將天和地，凡人與神（divinity）；凝聚到自己……這凝聚、聚集，讓其停留是物的物化……我們稱為世界。」[21]物的物化展開了世界，〈乾卦〉各爻成為晚期海德格的四元世界，道的世界顯現在物的物化中，成為天、地、神、人的四元。

存有的遺忘

　　一般認為《大易》乃群經之首，有深刻的哲學思想，但如按持傳解經的成規，《易傳》已是儒家經典。《周易》當然也是，《歸藏》彷彿未留痕跡。如果以《歸藏》自〈坤〉來看，〈上六〉的「龍戰於野，其血玄黃」可以與〈乾卦・爻辭〉的六龍相呼應；以《周易》首〈乾〉來看，陰氣已成貶義，我們將錯過古

---

[21]　同註 14，頁 199。

史開端中最偉大的天與地的戰爭。

　　另一方面，哲學思想總是結晶於概念思惟，如果這些概念思惟未能得到恰當的注意，就容易忽視它的存在。持傳解經的成規，使歷史傳統成為重擔，缺少直面經典的氣魄，也使《歸藏》的面貌斑駁不清，甚至散佚消失。純從義理內容看，首〈坤〉可另成一個歷史上被遺忘的開端。正如海德格從他特有的存有概念去尋求希臘之外的「另一個開端」，而我們中國的「另一個開端」——《歸藏》可能從未消失，只是在「乾坤顛倒」的手法下，使我們中國產生了「存有的遺忘」！

　　此文的目的在於力證：《歸藏》找到了，它只是被遺忘了。這是一個被遺忘的開端！《歸藏》是道家易。「用九：見群龍無首，吉。」把〈乾卦〉六爻全放入道的領域中，由對萬物的沉思捨離日常實用的態度，通過對物的命名，把自然生產帶入人類的居住當中；這樣天、地（田）、大人（神）、君子（凡人）都在道的世界當中。那麼《歸藏》與晚期海德格的四元世界可不可以比較呢？老子說：「故道大，天大，地大，王亦大。域中有四大，而王居其一焉。人法地，地法天，天法道，道法自然。」（〈二十五章〉）道的領域就是道、天、地、王（神）。海德格不計存有，老子亦可以不計道甚至自然，那麼當「人法地」時加上人（凡人）就一樣也成為天、地、神、人的四元了。

　　《歸藏易》在歷史上只是被淹沒的另一個開端，只是「乾坤顛倒」，成為在眼皮下溜走的「道的運動」！〈坤卦‧上六〉的「龍戰於野」；〈乾卦‧用九〉的「群龍無首」，是古史真實開端的兩大雄辯，最偉大的雄辯！《歸藏》易找到了！

第四章 《歸藏》易：《坤乾》

第一節 〈坤卦〉

☷☷坤：元亨，利牝馬之貞。君子有攸往，先迷後得，主利。西
南得朋，東北喪朋。安貞吉。

坤卦在源頭是亨通的，有利於母馬的貞定自己。生命要富於
創造性地開展，就像母馬的懷孕、生產，馬是健行，敏於實踐。
這都賴於我們在生活大地上的實踐，君子要尋找方向。先迷是先
天的迷惑，為先天的價值觀所迷惑，這是在迷中的存有論，也就
是我們的價值觀是已決定的，不由自主的。只有認識到有先天的
迷惑，我們才可能有後來的領悟，這樣對生命的創造性才是有利
的。牝馬的力量、速度和生產，被帶入人類活動的界域。

在我們的大地之道中，〈卦辭〉是「元亨」，源頭是亨通
的；只有一特殊的規定：利於「牝馬」的貞定自己。並沒有好好
解釋這源頭：坤元。但在實踐的存有論中自有其超越性，這解釋
了先後的關係。我們先得的是在迷中所以是「先迷」；「後得」
則產生了一種轉變，這就說明「牝馬」在實踐上的優先性，創造
的優先性。生命要在最快的速度中，創造最大的力量！

這以〈坤卦〉為首的《歸藏》易是在迷中的存有論，與儒家
以〈乾卦〉為首的《周易》的道德形上學有所不同：儒家是本性

的靈明被後天的習氣所障閉。故儒家的創造性、理想性已由道德
決定方向。在迷中的存有論之在迷中是定然的，而道德形上學之
在迷中是偶然的。認識到定然的迷，始有後來的悟，後來的得。
至於道德形上學未認識到定然的迷，所謂社會無意識，其方向也
被道德意志固定就沒有價值的根本翻轉，依然支持社會光明面的
普遍價值，所謂真、善、美。選擇共同方向的朋友，朋友關係是
能擴大你的力量，故選擇是一種朝向（得朋），也是一種離開
（喪朋）。

初六：履霜，堅冰至！

　　大地之歌並非道德箴言，而是超越善與惡，面對好與壞！無
論我們面對什麼人或物，有微微地不好（壞）的感覺時，就有如
觸到「微霜」，如果不及時收手或收腳，就會碰到「堅冰」更壞
的結果。這是一種實踐的智慧！我們常因只是微小的感覺而輕
忽，結果最後因局面大壞而無法收拾。故這也是一種微弱的智
慧，輕忽這種微細的感覺是失敗之門。你要從「霜」中感受到
「堅冰」的後果，人生行事，要把實踐的結果當作身體的承受狀
況！「霜」是微寒，「堅冰」是極度沍寒，你貿然行事，就可能
遭受巨大創傷，要視作由身體承受惡果。「就在生存的這關鍵性
的時刻，也就是人成為人並認識到宇宙中的巨大孤獨的時刻，世
界恐懼就暴露出對死亡，對局限和空間的恐懼。」[1]

六二：直方大！不習，无不利。

　　生活之道平直、方正、廣大，這是因為我們小心謹慎，有實

---

[1]　海德格語，引自費迪南・費爾曼《生命哲學》（北京：華夏，2001），
　　頁 171。

踐的智慧！即使沒有多所學習，只要有「履霜，堅冰至！」作為
生活的格言，也就沒有什麼會不利於己。

六三：含章可貞，或從王事，无成有終。

當我們以「履霜，堅冰至！」作為戒惕自己的行為準則，就
含有內在的儀則，可以貞定自己做事的方式。如果跟隨君王做
事，也要小心翼翼。君王代表巨大的力量，在這種力量－關係
中，不能使他的力量感受到損傷；即使得不到君王的欣賞，沒有
成就，也得以保持到事情的終結！

六四：括囊，无咎无譽。

為人行事，要把袋口收緊，謹言慎行，沒有什麼災禍來到，
也不求什麼榮譽。「謹言」就如守口如瓶，「慎行」就如我們身
體會感受到的些微寒冷，都要注意消弭。

六五：黃裳，元吉。

《易・繫辭》中「黃帝垂衣裳而天下治。」黃既是土地的顏
色，也是古代帝王服飾的顏色。〈坤卦〉所展現的大地之道，至
此圓滿成就。無論你走哪一方向，總是選擇志同道合的朋友，在
「喪朋」與「得朋」之間，選擇那使自己的力量能增加的。把
「得」與「失」奠基於自己的感受之上，以凝聚力量。得最大的
力量成為王，故必須先敏銳地感受別的力量，尊重別的力量，而
不損害自己的力量成長，才能蘊蓄創造的力量，成為人間的君
王。在源頭上是吉祥的。

上六：龍戰於野，其血玄黃。

這是上古最偉大的雄辯，也是最神祕的玄思！

首先，不知道龍是單數，還是多數？是龍還是「龍們」？為
何以「牝馬」的健行與生產來表現的實踐的存有論，至〈上六〉

突然出現龍？

〈坤卦〉的「履」霜，是行動，「括」囊，是謹言。無非是以謹言慎行為實踐存有論的依歸，而實踐存有論本奠基在世界上。那麼〈坤卦·卦辭〉的「先迷後得」在此就有了意義。「先迷」是習慣性地接受世界上先已存在的價值觀，一個傳統就是我們的超越性或「先驗」。至〈上五〉為止，這實踐存有論都在基礎存有論的範圍。〈坤卦〉所以是大卦，是並未展現在迷中的存有論；我們人生有那麼多的迷惑，像芒草那麼多的茫惑！〈坤卦〉只以我們行動和言語的好與壞，來超越道德的善與惡。換言之，以實踐的存有論修正在迷中的存有論。

這是新舊交替的時刻，〈坤〉只是馬，〈乾〉才有龍；故〈上六〉是先前令人迷惑的〈乾〉龍，在原野上戰鬥！如是《周易》〈坤卦〉放在〈乾卦〉後頭，隔了五爻才出現龍，就成為一條孤龍。這在意象思惟上極其不合理！也是《周易》荒誕之處，有偽造的痕跡。《周易》既以〈乾卦〉為主，就在〈象傳〉中從〈初爻〉開始為陰氣凝聚的過程！「履霜堅冰，陰始凝也，馴至其道，至堅冰也。」到〈上六〉〈象傳〉說：「龍戰於野，其道窮也。」「其道」指的是坤道，坤道困窮了。〈文言〉更說：「陰疑於陽必戰，為其嫌於无陽也，故稱龍焉；猶未離其類也，故稱血焉。」反正陰盛至極，陰不能盛，盛極怕猜忌她過分，故必戰。又怕被嫌棄她「非陽」，故自稱為「龍」，故此孤龍是坤龍，且是假龍！血也是陰性，故流的血是陰龍的血！告訴我！這是什麼哲理？這是什麼戲碼？龍的意象思惟可以分〈乾〉、〈坤〉而不同嗎？在〈乾〉就是真龍天子，在〈坤〉就是假龍偽龍，故判定《周易》把〈乾卦〉擺在〈坤卦〉之前，是父系社會

的「操作」，是把《歸藏》易偷天換日、乾坤倒轉，致義理不
通！《歸藏》易是至少幾百年無名作者在生命哲學的結晶，《周
易》同樣不可能是一人所作！

《周易‧繫辭下傳》：「古者庖犧氏之王天下也，仰則觀象
於天，俯則觀法於地，觀鳥獸之文，與地之宜，近取諸身，遠取
諸物，於是始作八卦。」伏羲氏作八卦，再來神農氏，再來「黃
帝、堯、舜垂衣裳而天下治，蓋取諸乾坤。」（同上）不論如何
取，總非創作。司馬遷《史記‧太史公自序》「昔西伯拘羑里，
演《周易》。」問題是如何「演」法？說文王八卦是占卜事，並
非義理。如與周文王有關，那只是乾坤顛倒、偷天換日！否則在
〈坤卦‧上六〉這條龍不致如此不堪！

那麼如果以〈坤卦〉為主，龍作何解呢？在「實踐智慧學」
下，將升起新的價值，是幾種可能的力量在戰鬥嗎？問題是天龍
卻在大地之上！「野」是空間名詞，「邑外曰郊，郊外曰牧，牧
外曰野。」（段玉裁《說文解字注》）原來在天上的天龍，現在
在大地之上，且是在無人的所在！故〈文言傳〉也說得清楚：
「夫玄黃者，天地之雜也，天玄而地黃。」天龍的血有玄色，卻
也有大地的黃色，這不就是說天龍來自大地，天龍已回到大地。
如果「野」是無人的所在，豈不也正合《歸藏》易的義理：一切
萬物歸藏於大地。先在的價值失去了力量，就成為成見、偏見，
原先創造的價值也成為「習俗道德」，「先迷」正是沈沒在習俗
道德中，只有到「黃裳」，成為「王」，才可能創發新價值。王
是尼采所說的「貴族價值」嗎？尼采的貴族道德：「騎士－貴族
的價值判斷預設了強而有力的體格，昌盛、富饒，甚至滿溢的健
康，伴隨著用來保存身體的：戰爭，冒險，狩獵，跳舞，戰爭遊

戲，還有一般那些所涉及的精力充沛的、自由的、歡悅的活動。」[2]「馬」似乎預設了強而有力的身體，「霜」和「冰」也有身體敏銳的感受。但「戰爭、冒險」卻可能減損自己的力量，故〈坤卦〉的謹小慎微，小心翼翼的「實踐的智慧」，不類似「戰爭、冒險」的貴族。但仍有一點根本的近似：尼采發現善的「概念轉化」：「任何地方在社會意義上的『高貴』、『貴族』是基本概念，由此『善』在帶著『貴族靈魂』、『高貴』、『帶著更高級的靈魂』、『帶著特權的靈魂』必然發展……。」[3]〈坤卦〉的目標在此義上是貴族，但有更高的目標：成為「王」：帶著特權的靈魂，樹立新的價值：護持萬物的價值。

　　有「黃裳」才可能有舊價值的倒塌！「龍戰於野，其血玄黃。」正成為先前價值的虛無主義，而大地的力量正待升起。天龍與大地的戰鬥，不正像海德格世界與大地的戰爭？一切歸藏於大地，一切也必自大地升起！

　　天龍與大地的戰鬥，天與地的戰鬥！這難道不是中國古代思想最雄辯的意象？對尼采來說，這就是強壯的虛無主義！如果一切最高的價值都已崩塌，都已失去了意義，那這就是虛無主義！強壯的虛無主義就是要面對一切都無意義而忍受，這不是叔本華的真理意願（Willing to truth），而是尼采的權力意志（the will to power）。這是「黃裳」的意義！但從另一方面說，即使海德格的基礎存有論中，是不是有一種非本真的生存狀態，此有的墮落（fallingness）而逃入他人之中，人們之中，這就是先前世代

---

[2]　Friedrich Nietzsche, "The Genealogy of Morals." Walter Kaufmann and R. J. Hollingdale trans., (New York: Vintage Books, 1989), p.33.

[3]　同上註，p.27-28。

所創造的價值，已無意義！淪為成見、偏見！故而當海德格晚期
談存有論就格外引人注目：「世界在依賴大地中，想要凌駕它。
作為自我開放，它不能忍受任何封閉的。大地作為庇護和隱蔽，
傾向於把世界拉向它自己和把它保持在那裡。世界和大地的對立
是一個鬥爭。」[4]天龍（天道）依賴大地，它的超越性想要凌駕
大地，天龍（天道）是自我開放，大地卻傾向把天龍（天道）拉
向它自己，大地作為庇護和隱蔽，故天龍和大地形成鬥爭的力
量。這是不是「龍戰於野，其『血』玄黃」？「天玄而地黃」？

用六：利永貞。

　　按照〈坤卦〉的實踐智慧學，抓住一切價值終必腐朽更新，
有利於永遠貞定自己。

第二節　〈乾卦〉

☰乾：元亨，利貞。

　　為何〈乾卦·卦辭〉如此簡明？因為〈坤卦〉是決定性的，
「乾」就是自我開放的天道，依賴大地。故而天道的源頭是亨通
的，利於貞定方向。天道即天龍，並非《周易》中代表君子的人
格。

初九：潛龍，勿用。

　　萬物當中潛藏著一條龍（天道），但是現象渾沌天道尚未出
現，龍還潛藏在深淵中。我們要注意天道所在的空間位置，龍在

4　Martin Heidegger, "Poetry, Language, Thought." Albert Hofstadter trans.,
　　(U.S.A.: Harper & Row, 1971), p.48.

《歸藏》易中既非象徵君子的精神人格,就不是君子精神人格的不同狀態!就不是《易傳·象辭》的「時乘六龍以御天」,而是天道出現在不同的空間位置。顯然在「龍戰於野」後,大地贏得最後勝利。生活體驗所體驗到的生命哲學,尚須沈澱以釐清。由「野」的無人的所在到「淵」的無人能辨識的深度,天道歸回隱蔽的狀態,龍深潛涵養在深淵中。

大地(野)是根據,大海(淵)是無根據。天道可不可能進入無根據的地方?晚期海德格曾以要離開存有物本身被安立的方式來理解存有(Being):「躍出到哪裡?躍離開根據?進入深淵?是的……」[5]此深淵即相對於自我出現的天道,而是自我隱蔽的地道。天道完全進入地道的隱蔽狀態,大地與大海竟成為可以互釋的,這是人類學的古義,大地亦即深淵,地下是流動的水,可以流通。地道的根據即深淵的無根據,這就是渾沌。所以潛龍並非指沈潛的君子,而是道在隱蔽的狀態;所以道分為開顯和遮蔽,「龍戰於野」是道在開顯和遮蔽之間,快要進入隱蔽狀態,「潛龍,勿用」是道在隱蔽狀態,「飛龍在天」則為道在開顯狀態。

道在隱蔽狀態,龍進入深淵,首尾皆不見。道的空間位置,只是說牠不能呈現,在渾沌狀態!一個道的紀元(epoch)在渾沌未明的狀態,將明未明;所以道的空間位置標明的是道的運動,道的運動本身就是時間狀態。所以〈坤卦〉前五爻是基礎存有論,善用道的隱蔽狀態為做人處事的法則,〈上六〉則是前一

5　Martin Heidegger, "Identity & Difference." Joan Stambaugh trans., (U.S.A.: Harper & Row, 1957), p.34.

個道的紀元將結束的狀態，至〈乾卦・初九〉則是道的紀元深潛未發的狀態，〈九二〉以後是出潛離隱的狀態！

既然道的紀元在深潛未發的狀態，猶如告訴你：萬物中潛藏著一條天龍，暫時不要去使用它！你在渾沌中不知萬物的力量如何會聚？你不知道萬物的力量將朝向什麼方向？「深淵」，是大海，是最大的容器；最大的容器所蘊蓄出來的，尚未辨明是什麼力量？大海是萬物生命的母體。就如個別事物也有其特異性的奇妙力量，不要任意去使用它。你抓不住未成形的力量！

九二：見龍在田，利見大人。

「田」無論如何是我們生活的界域，古代以農立國。當道開始新紀元的力量，剛開始出現在生活界域中，還不是那麼顯著，只有少數偉大的人物注意到了，或者說因為注意到道的「出潛離隱」，《歸藏》易用「龍」表現「道」。受到道初始的力量感動，受到洗禮；由道的新紀元，開展了新的生命。新的生命是一見證，目擊道存，是絕大力量的撞擊和傳遞！龍可以見到，是龍的出現。初始的力量是最大的力量，但只有少數的偉大人物感應到它；是力量的感應和見證！

九三：君子終日乾乾，夕惕若厲，无咎。

大人與君子必有一間之隔，大人見證道的新紀元的偉大力量，君子只見證到大人的偉大力量。這是〈乾卦〉，君子終日維持乾道剛健的力量，〈乾卦〉表現天道出現的力量，君子向大人學習，隔了一層，到黃昏時還不住惕勵自己，像非常嚴厲地對待自己，這樣也不會有什麼災禍。大人是目擊道存，君子是惕勵學習。

九四：或躍在淵，无咎。

也因為有賡續學習的君子，惕勵自己非常嚴厲，能夠延續大人對道的新紀元見證的力量，即使道的力量又暫時歸於隱沒，也不會有任何災禍！「潛龍」是在深淵裡，「見龍」是出潛離隱，出現在人類生活的界域中，但道需要人的見證，但道初始的力量還不是那麼穩定，「也許」一時又歸入隱沒，但因為有君子的傳習，力量還可以延續下去。

九五：飛龍在天。

龍已在超越的位置，一代人都可以見到它的力量！它高高地在天上，為一代人所見到；但道成了超越性，超越的理想。一個時代的力量競相而趨，只分享到道的力量，龍在天上飛行游動，大家都分享到神奇的視象；當道的力量到達超越性，其開顯性已到達顯著性的位置。

上九：亢龍有悔。

把道擺在過於高亢的位置，就會使其開顯性離開隱蔽性。換言之，道的新紀元開展，會持續一段時間，使新的紀元窮盡了它的力量。新的紀元窮盡其力量，是在超越性上；當超越性離開其經驗主義的基礎，超越的理想成為漫無邊際的幻想。當一個新紀元的力量被過分尊崇，超越性過於高亢，就會離開其根源性的力量太遠！其原始根源性的力量在哪裡？恰在無根性的深淵。道的新紀元如把所有的力量集中在一個特定的方向，過於高亢，也會窮盡自己的力量。「亢龍」是超越性的固定、僵化、不動，已變成虛幻的光影。

用九：見群龍无首，吉。

一個道的新紀元必須任各種力量有多樣性的發展，不要讓單一力量發展到過分高亢，反而導致力量衰竭，成為無力。所以沒

有一種特殊的力量作頭，是吉祥的。如果集中多樣的力量而往單一的力量發展，就形成太過統制性的力量，而且發展到極限，形成反向的力量。

《坤、乾》道的運動示意圖

〈坤卦〉是基礎存有論，也是在迷中的存有論，從信任先前錯誤的價值觀開始。生命是水平性、橫貫性的活動，但是與生命源頭的聯結是亨通的；也因為與生命源頭的聯結，我們本有超越的能力。故而如牝馬的生育能力一樣，我們有創造的潛能，我們要創造生活的可能性！但首先根植於生命與死亡的聯結，我們要小心謹慎地保存生命，因為生命只有一次。那麼首先要建立對我們生命好與壞的微弱智慧，一切微小的傷害如果未能注意就產生極大的惡果！因此對一切微小的、不好的感覺，要產生最深沈的

感受。這是實踐的智慧。也由於馬的健行，我們也勤於在生活經
驗中實驗生命的可能性。〈坤卦〉僅以「履霜，堅冰至」完成生
命精神的轉換，從存在的「先迷」也轉換成「黃裳」的「垂衣裳
而天下治」，從「常人」成為「王」的「後得」，這個王只能是
道家義的聖人。大地精神定必要升起，而先前世代的價值只成
「習俗道德」；天龍必來自大地，無人的大地，甚至是深淵。濃
縮之，只有兩個元素，天和地，海德格義的世界和大地的鬥爭
（strife）。用「野」——無人的原野來表現人與萬物共棲的情
懷。

　　現在，〈坤卦〉五爻之後，有新、舊價值的鬥爭，舊價值的
隕落，直至滅亡，新價值仍未升起，在空間上天龍由「野」至
「淵」。但切記：大地與深淵其義一也，大地是我們立身的根
據，深淵（大海）是無根據（abground）。那麼〈坤卦・上六〉
的「龍戰於野」與〈乾卦・初九〉的「潛龍，勿用」產生連動，
一直到〈上九〉的「亢龍有悔」，義理甚美而一貫！甚至〈用
九〉的「見群龍無首」也可見道的運動對萬物多樣性的護養。
「抵達魔術公式我們都尋求——多元論＝一元論——經由是我們
敵人的二元論。」[6]道的力量（一元）其實是萬物（多元）力量
的變動。

　　按〈乾卦〉來說其實是垂直性、縱貫性的運動，由「潛龍」
的深淵（大海）到「田」的大地，到「飛龍在天」的天空，甚至
更高亢，但這些位置、空間的變動，主要來自於隱蔽與開顯的道

---

[6]　Gilles Deleuze and Félix Guattari, "A Thousand Plateaus: Capitalism and
　　Schizophrenia."(New York: Athlone, 1988), p.23.

之運動所表現的，道之運動主要在紀元的時間，必得延續一段時間、逗留一段時間，就被「基礎存有論」相對應的水平線拉成橢圓線，而「高」、「亢」反而成為達至顛峰之後的衰降過程。到「飛龍在天」時已成「習俗道德」，所謂「先迷」，以至「亢龍有悔」，再至「龍戰於野」開展另一道的紀元。

〈坤卦〉在〈乾卦〉之先是有其邏輯的，天與地的鬥爭展現在〈地天泰〉和〈天地否〉上。地要上升把天拉下來，就成為〈地天泰〉，是天地相交；天在上，地在下，只是常規，閉塞不通！就是〈天地否〉。

第五章　有和無：老子博大眞人

尼采（Friedrich Nietzsche, 1844-1900）的「跨歐洲之眼」讓他認識到「印度哲學是唯一與我們歐洲哲學平行發展的哲學」。而海德格（Martin Heidgger, 1889-1976）在某種程度上熟悉中國道家和日本禪宗核心文本的德文翻譯。[1]相對於他們而言，當我們研究老子時也必須有「跨亞洲之眼」。或許海德格藉以突破西方傳統形上學的，正是中國道家和禪宗；而運用海德格的哲學概念來詮釋老子哲學，也可使其概念思維更為清楚。不僅是海德格，甚至法國後結構主義思潮如德里達（Jacques Derrida, 1930-2004），福柯（Michel Foucault, 1926-1984）及利奧塔（Jean Francois Lyotard, 1924-1998）及德勒茲（Gilles Deleuze, 1925-1995）等在某種程度上算是法國的新尼采思潮，也可以在概念上構建老子的思維。

《道德經》開篇：

> 道可道，非常道；名可名，非常名。無，名天地之始；
> 有，名萬物之母。故常無，欲以觀其妙；常有，欲以觀其

---

[1] 萊茵哈德・梅依《海德格爾與東亞思想》，張志強譯（北京：中國社會科學，2003），頁 9。

徼。此兩者，同出而異名，同謂之玄。玄之又玄，眾妙之門。（〈第一章〉）

此章一般順著王弼解：「可道之道，可名之名，指事造形，非其常也。故不可道，不可名也。」也就是說可道可名不是本常的大道，道是不可道不可名的。道與名分居一二句的主詞。如果道是不可道，名也應是不可名。如果一、二句的主詞是道，那麼名顯然是來解釋道的。我們總要記得《史記》中的記載：「老子脩道德，其學以自隱無名為務。居周久之，見周之衰，乃遂去。至關，關令尹喜曰：『子將隱矣，彊為我著書。』於是老子迺著書上下篇，言道德之意五千言而去，莫知其所終。」[2]著書為說道和德，自隱無名當然是道德的根本要務。所以〈第一章〉可能的說法也可以是：道是可以言說的，但不是平常的言說方式。要言說道，就要給它命名，但也不是平常的名字。無命名天地的開始，有命名是萬物的根源。王弼注曰：「凡有皆始於無。」這樣就提煉出無和有兩個概念，是用以對道來命名的方式；而且無通無名，有通有名。

不惟如此，無通無欲，有通有欲。所以常在無欲的狀態，以觀察大道的奧秘；常在有欲的狀態，以觀察大道的邊際。這樣〈第一章〉除提煉出無和有一對不是平常言說的概念來論述道以外，也提出了名言和欲望的問題。但不論是無，無名，無欲，或者有，有名，有欲，總歸是無和有這一對概念，「同出於道」，這才是「玄之又玄」。為何？因為無和有在字義上相矛盾，怎麼

---

[2]　司馬遷《史記・老子韓非列傳》（臺北：興文，1974），頁 2141。

可以用字義上相矛盾的概念來指涉道？故而在〈第二章〉：

> 天下皆知美之為美，斯惡已；皆知善之為善，斯不善已。
> 故有無相生，難易相成，長短相較，高下相傾，音聲相
> 和，前後相隨。是以聖人處無為之事，行不言之教。萬物
> 作焉而不辭，生而不有，為而不恃，功成而弗居。夫唯弗
> 居，是以不去。

「天下皆知」是社會的常識背景，這裡對社會的常識背景似有批判的意味。社會的常識背景所提出的美、善標準，會轉變為惡與不善。何以如此？尼采說：「任何地方『高貴』，『貴族的』在社會的意義中，是基本概念，由此必然發展出『善』在『帶有貴族的靈魂』，『高貴』，『帶有高級的靈魂』，『帶有特權的靈魂』：一個發展平行於另一個將『普通』，『賤民』，『低下』最後轉化為『壞』（bad）的概念。」[3]尼采認為道德是社會的偏見（prejudice）也就是社會定義的價值標準：其實善、惡的字根包含著貴族和賤民，高貴與低下的判斷。尼采《道德系譜學》影響福柯等甚鉅。對於海德格，他的基本存有論也同樣形成對日常性的批判：「我們在一日常的方式下理解我們自己……不是從我們自己存在最極端的可能性來的連續性，而是不真實的，我們自己的行為只是作為我們而不是自己的，我們在事物中

---

[3]　Friedrich Nietzsche, "The Genealogy of Morals." Walter Kaufman and R. J. Hollingdale trans., (New York: Vintage Books, 1989), p.27-28.

和人群中失落自己。」[4]在日常方式下，我們在事物和人群中失落自己，我自己不再是我自己，而是「我們」，故而日常的理解是在人群中，是不本真的（not authentic）。這也同樣是對「天下皆知」的批判。

老子既規定有無互相生發，故有是無中有，無是有中無。也就是既然在天下皆知的常識背景中，美會轉為惡，善會轉為不善，那麼不如由天下皆知的常識的有回到無中；由有名、有欲的狀態回到無名無欲。既然一雙對立的概念可以互相生發，互相產生；似乎動力的生發也主宰著一切對立的二元概念。這是在道論中或存有論中的生發關係。在我們日常的二元概念中是價值概念，含有階級概念。如尼采談的高貴與低下；但在老子以道的動力作旋轉軸，高與低互相傾軋，傾軋成為高與低的動力裝置。難和易，長和短，前和後這些都含有價值意義。並且前者壓倒後者，是上位概念壓制下位概念。至於音和聲，前者應是音樂，後者是聲響或噪音。音樂是上位概念，壓制聲響的下位概念。現在用道的動力隨著二元邏輯，以化成「成」、「較」、「隨」、「扣」的動力。

打破社會所定義的二元標榜。尼采是以韻律概念來說明兩者之間只有一種拍子的相異。而眾所周知，德希達提出延異（differance）概念也是針對語言的二元邏輯。「延異運動作為那產生不同的事物，那區別的，是那標記我們語言所有對立概念的共同根源，僅用少數的例子，例如感覺的／理解的，直覺／意

4　Martin Heidegger, "The Basic Problem of Phenomenology." Albert Hofstadter trans., (U.S.A.: Indiana Univ., 1982), p.160.

義，自然／文化等。作為共同的根源，延異也是這些對立被宣稱
於其中的相同要素（與同一有所區別）。」[5]所以德勒茲視延異
是二元邏輯的相同要素，但視為動力根源而不是同一。他舉的三
個例子，理解的、意義和文化都是上位概念，而感覺的、直覺和
自然都是下位概念，而延異既作為二元對立的根源，那麼延異的
動力亦可解消二元對立。

老子既知「有」的發展，也就是價值標榜的樹立會導致崩
壞，「天下皆知美之為美，斯惡已；皆知善之為善，斯不善
已。」所以由有轉入無中。現在無又是「無為」與「不言」，而
相對的，有就是「有為」與「有言」。那麼體道的聖人在無為和
不言的狀態下，任萬物生長動作而不干涉，讓萬物生長而不佔
有，為了萬物而不自恃，成就萬物而不主宰。對萬物有功而不居
功，正因為不居功，所以才有功勞。這與日常生活的常識背景是
有差異的，即「出而有，為而恃，長而宰，自居其功」。佔有，
自恃，主宰，功勞有「有為」與「有言」上的發展，將破壞人為
樹立的價值標榜。

> 不尚賢，使民不爭；不貴難得之貨，使民不為盜；不見可
> 欲，使民心不亂。是以聖人之治；虛其心，實其腹；弱其
> 志，強其骨。常使民無知無欲，使夫智者不敢為也。為無
> 為，則無不治。（〈第三章〉）

5　Jacques Derrida, "Position." Alan Bass trans., (U.S.A.: Univ. of Chicago, 1981), p.9.

　　佔有、自恃、主宰、居功歸結為兩項：尚賢和貴難得之貨，其一是對人的關係，其一是對物的關係。尚賢是使賢者有賢名，柯耶夫（Alexandre Kojève, 1902-1968）著名的探討班成為黑格爾講座，並利用海德格來詮釋黑格爾卻成就了人類中心主義。「對我而言，他者是一種現象和客體；同樣，對他者而言，我也是一種現象和客體。這一鬥爭最終通過一場統治權的戰鬥得以解決。科耶夫對主奴關係和爭取承認的鬥爭的使用，幾乎毫無困難的適用於笛卡爾模式。」[6]簡言之，人類社會的精神動力就在於爭取別人的承認而奮鬥到死，那麼就成為自我與他人的生死鬥爭。當自我成為主體時，他人就成為現象與客體；自我與他人易位時，就造成相反的現象。自我與他人成為爭取承認的鬥爭。崇尚賢能就帶來名聲，成為爭取名聲（有名）的鬥爭，至於難得之貨對老子來說，也是物的異化（alienation），人為的。物的使用價值對人是如此根深柢固，成為財貨更成為佔有與爭奪的目標。對人的關係是名，對物的關係是利；名利的根源在欲望。不顯現可欲之事，人心就不會受到激盪而散亂。

　　聖人治理天下，顯然虛弱心智，而強調肉體。肚子吃飽而筋骨堅強，以保全生命為第一義。心智對肉體的支配關係被顛倒；這是與《論語》可以作對比的。〈雍也〉：「賢哉！回也。一簞食，一瓢飲，在陋巷，人不堪其憂，回也不改其樂。」顏淵之賢是道德意識高，這是意識對肉體的支配，是忍受貧苦的「顏淵樂處」。老子卻說：「五色令人目盲；五音令人耳聾；五味令人口

6　伊森‧克華因伯格《存在的一代：海德格爾哲學在法國，1927-1961》，陳顥譯（北京：新星，2010），頁69-70。

爽；馳騁畋獵，令人心發狂；難得之貨，令人行妨。是以聖人為
腹不為目，故去彼取此。」（〈第十二章〉）慾望的社會化，成
為社會意識追求的目標，反而使視覺、聽覺、味覺的自然本能全
都受到人為的社會侷限而喪失。最後是貴族「馳騁畋獵」的高
貴，對比於底層階級的低劣，人心受到社會意識的激盪而發狂。
所以「常使民無知無欲」是避免自我意識的擴張，欲望的激盪成
為機巧無知，自我意識形成主體概念。老子批判主體概念，或許
可以從尼采的批判找到原因：「這是一個術語，因為我們相信統
一優先於實在最高感覺的一切不同衝動；我們理解這信仰為一個
原因的結果——我們在我們的信仰中如此肯定，為了這原因我們
想像『真理』、『實在』、『實體』各方面。主體是虛構，在我
們之中許多相似的狀態是一個基礎的結果：但是是我們首先創造
了這些狀態的『相似性』；我們調整它們使它們相似才是事實，
不是它們的相似性。（——那毋寧是該否認的——）」[7]尼采認
為在實在高度感覺的不同衝動之下沒有統一，而尼采和老子同樣
認為主體是人為信仰的結果：相信統一。故而在此處，不是反智
論，而是反主體。

第一節　何謂事物

　　我們在日常生活中遇到的事物，首先是工具或裝備。在這裡
首先可以說明工具和裝備都是為了人的便利，這就是有用，有

---

[7] Friedrich Nietzsche, "The Will to Power." Walter Kaufman and R. J. Hollingdale trans., (New York: Vintage, 1967), pp.268-269.

利。但老子偏偏要把道的概念「無」和「有」套入工具和裝備中，打破日常生活的慣性思考。

> 三十輻，共一轂，當其無，有車之用。埏埴以為器，當其
> 無，有器之用。鑿戶牖以為室，當其無，有室之用。故有
> 之以為利，無之以為用。（〈第十一章〉）

車輪中心的圓木必須空虛來容納車軸，這才有車的作用。揉和陶土來做成器具，容器必須保持空虛的型態，才能有容器的用途。鑿門窗做成屋子，必須保持空虛，才有屋的用途。這是從我們的工具、裝備中找出無的存有論結構。最後的結論是有其便利，但無是使其保持空虛，才能有其用途。甚至容器的空虛是作為萬物的範型，包含人。「孔德之容，惟道是從。」（〈第二十一章〉）王弼注曰：「孔，空也。惟以空為德，然後乃能動作從道。」[8]孔是孔竅的空虛，容貌是從孔竅中的空虛浮現；無論如何，以空虛為德，才可以道為依歸。

海德格是將工具和裝備擴大為工具物全體。「嚴格地說，並沒『有』這樣作為『一個』工具物的事物。工具物全體常屬於任一工具物的存有，在此中，工具物才能成其為工具物。工具物本質上只是『為了』什麼的某物。工具物的全體是由多種『為了』的方式而構成，諸如可服務性、可管理性、可用性、可操縱性。」[9]「為了」當然是為了人的需要，為了人要達成某些目

---

[8] 《老子四種·老子王弼注》（臺北：大安，1999），頁21。

[9] Martin Heidegger, "Being and Time." Macquarrie and Edward Robinson trans., (New York: Harper and Row, 1962), p.119.

的；任一工具物就有整個工具物全體的脈絡。在這多種「為了」
的方式，老子顯然著眼於「可用性」的用途。但有只是有工具的
便利，用途或功用卻是由無來確保。海德格在日常世界中雖本以
無來說明工具的存有，但卻以另一種方式來說明工具物的功能是
作為世界的模式。「發現一個工具物不見了，在海德格的解釋
裡，顯露了工作實是作為世界的模式。這擾亂使我們覺察到工具
物的功能，和它適應入實踐脈絡的模式。」[10]一個工具物不見
了，就是不可用，無法使用，但隨之而來的是發現整個工具脈絡
停擺。而這正是一個契機，發現「工作室是作為世界的模式」。
這裡的契機是存有論的，即是省悟到我們日常生活中使用工具而
工作，使我們對世界的了解是以工作室的方式，這是日常世界的
模式。而事物在日常世界中不論對老子或海德格，首先皆是以工
具或裝備的方式來到手前；即使依海德格，我們以工作室的方式
作為世界的模式，我們會不會以看待工具物的使用方式來看待其
他的人、物和世界？答案是顯然的。「非本真性是加強日常的自
我主義，本真性是對它的減損」[11]那麼以日常的自我主義為起
點，就是一種以使用、可用的方式看待世界，還包含了可服務
性、可管理性、可操縱性。

　　日常的自我主義，可以視為道的前識觀。

　　　　故失道而後德，失德而後仁，失仁而後義，失義而後禮。
　　　　夫禮者，忠信之薄，而亂之首；前識者，道之華而愚之

10　同註4，頁99。

11　Michael E Zimmerman, "Eclipse of the Self." (Athens: Ohio Univ, 1986),
　　p.47.

始。是以大丈夫處其厚，不居其薄；處其實，不居其華。
故去彼取此。（〈第三十八章〉）

　　前識是道所開展的花朵，也是愚笨的開始。薛蕙注此條云：
「前識，猶言前知。前識未必非道，而乃道之華也。非以為愚，
而乃愚之始也。」[12]你知道，我知道，他知道，這叫「前知」
（pre-understanding），這亦可以用福柯的「認識體系」來說
明：「把不同話語類型相聯繫，並與某一特定時代相對應的關係
整體。」[13]顯然在老子時代的認識體系是由仁、義、禮所建構的
特定時代的關係整體。日常的自我主義的感受是仁，仁落在人心
上，由仁、到義、到禮是不斷加強的自我主義，也是大道不斷淪
降的過程，是非本真性。義如是社會正義，正逐漸外在化，至禮
為止是社會所樹立的價值標榜如美和善轉向惡與不善的開始；忠
信越來越薄弱，成為天下大亂的開始。何以故？上文說：「上禮
為之而莫之應，則攘臂而扔之。」上禮如果以無禮來回應，上禮
用在一邊，以無禮來對應；就成為亂的開始。故日常的自我主義
（仁）可以向前發展，也可以向後回歸。向後回歸是回歸於德，
再回歸於道。這就是處於厚重，處於質實；沒有浮薄，沒有花
俏。

以正治國，以奇用兵，以無事取天下。吾何以知其然哉？
以此。天下多忌諱，而民彌貧；民多利器，國家滋昏；人

12　引自潘栢世編著《老子集註》（臺北：龍田，1977），頁71。
13　朱迪特・勒薇爾《福柯思想辭典》，潘培慶譯（重慶：重慶大學，
　　2015），頁47。

多伎巧，奇物滋起；法令滋彰，盜賊多有。故聖人云：我
無為而民自化，我好靜而民自正，我無事而民自富，我無
欲而民自樸。（〈第五十七章〉）

治理國家仍從日常的自我主義開始；到天下大亂，美善的標
榜已轉換惡與不善時，就不能再用正面的方法，而要出奇兵。忌
諱的事太多，人民越來越貧窮；朝廷太多利害的手段，國家更加
昏亂；人民更多伎倆，邪門的事物孳生。這難道不是國家為了
「可服務性、可操縱性、可用性、可管理性」而使用它的人民
嗎？在減損日常的自我主義下，以無的概念，無的工夫，我無所
作為而人民自己變化，我無所事事而人民自然富有，我沒慾望而
人民自然樸素。

其政悶悶，其民淳淳；其政察察，其民缺缺。禍兮福之所
倚，福兮禍之所伏。孰知其極？其無正，正復為奇，善復
為妖。人之迷，其日固久。是以聖人方而不割，廉而不
劌，直而不肆，光而不耀。（〈第五十八章〉）

政治沉悶無為，人民恢復淳厚；政治苛察精明，人民民不聊
生。社會發展的變化一直下去，幸福所依賴的是災禍，災禍又隱
藏在幸福之後，這種變化是沒有極點的。並沒有正面的發展，。
正面變成奇邪，善良變成妖孽。人的迷惑，由來久矣。只知道增
強日常的自我主義。所以聖人方正而不銳利，清廉而不傷人，真
實而不放肆，含光而不耀眼。

> 天下有道，卻走馬以糞；天下無道，戎馬生於郊。禍莫大
> 於不知足，咎莫大於欲得，故知足之足，常足矣。（〈第
> 四十六章〉）

有道，無道是在日常的自我主義回歸或向前發展。有道時，
馬用來耕田，走在自己的糞上；無道時，連母馬也拉上戰場，在
郊外生出小馬。大災禍的來源是欲望而不知滿足；罪咎是想要佔
有財物。增加的自我主義會帶來災禍和罪咎，甚至受寵若驚。

> 寵辱若驚，貴大患若身。何謂寵辱若驚？辱為下，得之若
> 驚，失之若驚，是謂寵辱若驚。何謂貴大患若身？吾所以
> 有大患者，為吾有身，及吾無身，吾有何患！故貴以身為
> 天下，若可托下；愛以身為天下，若可寄天下。（〈第十
> 三章〉）

寵辱是外在的聲名，在社會上生存的動力從精神上說是爭取
別人的承認奮鬥到死，故而辱為下。但從老子來看，俱是身外之
物，故而是與生存無關。身體是保存生命，故而要把大的災患視
為可能使身體遭致毀傷。我們之所以可能遭致災患，無非是來自
有身體而產生的欲望。故沒有私人的欲望，就是把身體寄託給天
下。

重點是如果老子以手邊的工具物或裝備均含有無和有的存有
論結構，其他事物是不是也是如此？

> 反者，道之動；弱者，道之用。天下萬物生於有，有生於

無。（〈第四十章〉）

　　故道的動力在於反，所謂回歸，不是順著有的發展往而不返，而是由有向無回歸。道的發用在於柔弱，不是爭強鬥狠，有是有中無。道的生發萬物，明含無、有、物三層，這是生發萬物的程序。而無和有也成為物的存有論結構，柔弱是無中有，回歸是有中無。對人來說同樣有無的結構，「『人是懸擱到空無中』或『人是站在空無中』……人作為一存有物，不僅站在存有的中央，也發現自己暴露在非存有物的可能性中。在此義上，他能超過他的事實面。」[14]海德格和老子一樣，認為人有無和有的結構。

　　　道者萬物之奧，善人之保，不善人之所保。美言可以市，尊行可以加人，人之不善，何棄之有？故立天子，置三公，雖有拱璧，以先駟馬，不如坐進此道。古之所以貴此道者，何不曰，以求得，有罪以免耶？故為天下貴。（〈第六十二章〉）

　　道是萬物之奧秘，老子以無和有的概念來說明這奧秘。善人以此奧秘為寶貝，不善人也靠這奧秘來保全生命。美好的言語有市場，尊貴的行為可以加在別人身上；不善之人，又沒什麼好拋棄的，我們仍可以學習如何去保全生命。這是「不善者吾亦善

---

[14] Herbert Spiegelberg, "The Phenomenological Movement." (Netherland: Martinus Nijhoff, 1982), p.391.

之，德善。」（〈第四十九章〉）不善者也有得之於道的特殊動力。雖有尊貴的爵位，貴重的拱璧和駟馬，都不如坐進此道。求道可以免去罪咎，而求道是回歸的求得。

> 致虛極，守靜篤，萬物並作，吾以觀復。夫物芸芸，各復歸其根。歸根曰靜，是為復命。復命曰常，知常曰明。不知常，妄作凶。知常容，容乃公，公乃王，王乃天，天乃道，道乃久。沒身不殆。（〈第十六章〉）

回歸的求道，要通過「致虛守靜」的工夫，那麼虛靜的工夫下在哪裡，無非是日常的自我主義。這是無化的工夫，以免日常的自我主義往有的方向往而不返。萬物生長動作，我用心觀察到回歸的現象，「復」就是回歸。這種觀察，即是沈思，顯然是因致虛守靜的工夫而有，虛靜是在心上作，減損日常的自我意識。這時才得以有一沈思，一觀察；沈思和觀察到萬物都會回歸到生命的根源。如果把無放在主觀心境上來講：「依這心靈狀態可以引發一種『觀看』或『知見』（vision）。境界形態的形上學就是依觀看或知見之路講形上學（mataphysics in the line of vision）。我們依實踐而有觀看或知見；依這觀看或知見，我們對這世界有一個看法或說明。」[15]這種主觀的進路將使道由一個聖人來保證，看脫漏了「萬物並作」四字，換言之，不是由「一復」來保證「一切復」，而是由「一復」得以觀到「一切復」。萬物並作是在有中發展，萬物也定然回歸生命的根源。依照主觀

15　牟宗三《中國哲學十九講》（臺北：學生，1983），頁 130。

的進路講老子，將使道沒有客觀的實際意義。

　　萬物紛雜多樣，各自回歸到其根源；這表示萬物本有無的結構，不僅是人有無的工夫。在道家的主場，並非人為萬物之靈，而是人是萬物之一。回歸到其根源，叫做靜。動時說有，靜時說無。回歸到自己個體特殊性，是回歸自己的命運，重複自己的命運。很奇怪的，這個體特殊性並非個人的風格，而是在個人之前的根源。「只有隨著尼采，依德勒茲，單義性的快樂，才被適當地思考，和這是因為尼采想像了一個『先個人的特異性（singularities）』之世界，及沒有『誰』或『什麼』有許多特質；也沒有某人或某物是或存在（is），每一差異是不同的力量，沒有差異事件成為任何其他者的根據或原因。必通過這差異的肯定，而且以放棄任何在差異之前的根據或存有，尼采和德勒茲達到了永恆回歸（eternal return）。」[16] 這裡「前個人的特異性」正是永恆回歸所回歸之處。對人來說，不是主體；對物來說，不是實體。德勒茲單義性的快樂是指單義性的存有。按照老子來說就是道。換言之，道是單義的，免於個人的局限，故帶來快樂。既是先個人的特異性，沒有「誰」指的是人的主體性，沒有「什麼」指的是物的實體性。故而，先個人的特異性雖是單義性的道，但是由先個人的德開始說。這種回歸是一種重複，也帶出先個人的特異性，一種差異的力量；即重複自己的命運帶來差異的力量。

　　重複自己的命運，王弼注曰：「復命則得性命之常。」也就

---

[16] Adrian Parr, "The Deleuze Dictionary." (New York: Columbia Univ., 2005), p.83.

是說由先個人的特異性的力量，帶出個人性命的常道。這個
「常」字不是普通的常法常則，而是帶著差異性的力量，故能了
解個人能量的方向與分際。「夫物芸芸，各復歸其根，歸根曰
靜，是謂復命。復命曰常，知常曰明。」英譯云："All things
flourish, But each one returns to its root. This return to its root means
tranquillity. It is called returning to its destiny. To return to destiny is
called the eternal (Tao). To Know the eternal is called
enlightenment."[17]明顯順著「萬物並作」的物講，「復」是回到
先個體的特異性。但翻譯漏了「吾以觀」三字，簡單說意思該是
我（用「萬物並作」）以沈思回歸（復）生命根源的現象，但
「常」能不能翻成 "eternal" 呢？河上公注云：「能知道之所常
行，則為明。」常為經常義，是經驗的綜合而後以超越。但這邊
還不說道，而是說德的先個人的特異性。知道萬物（人）的差異
性常這樣運行，叫做智慧。王弼注「常」：「常之為物，不偏不
彰，無皦昧之狀，溫涼之象。」是常法常則之意，失之模糊，河
上公注簡潔。不知道個人、個體差異性的力度和限度，恣意妄為
就帶來凶險。知道個人個體經常運行或運作的力度和限度，就較
能包容、寬容。包含萬物的差異性，才會真正公平。真正公平才
能成為天下之王，天下之王才與天相通；與天相通才是道，道才
會長久。這樣即使王死了道也不會瀕於危殆。到「天乃道，道乃
天。」說的才是道。

---

17 陳榮捷《中國哲學資料書》（U.S.A.: Princeton Univ., 1969），頁 147。

第二節　道和德（宇宙論）

　　道和德的關係何在？天和地的關係何在？無和有的關係何在？

　　我們不要忘記「失道而後德」（〈第三十八章〉），道、德的區分有其層次。先看何謂道。

> 視之不見名曰夷，聽之不聞名曰希，搏之不得名曰微。此三者不可致詰，故混而為一。其上不皦，其下不昧，繩繩不可名，復歸於無物，是謂無狀之狀，無物之象，是謂惚恍。迎之不見其首，隨之不見其後。執古之道，以御今之有。能之古始，是謂道紀。（〈第十四章〉）

　　這也是「大音希聲，大象無形。」（〈第四十一章〉）視覺、聽覺、觸覺俱不著於道，命名為夷、希、微，混合為一為道，而且由無名、無物來說道；故道是先於命名，先個體的狀態，無形亦無象。道對人來說，是恍惚的狀態，無以見其首尾。但老子說道乃古道，古道可以駕御今天日常的自我意識（有）；而且古代的開端，是道的紀元。或許這與海德格找到對應，海德格喜在存有的希臘字字源義中說明其意義，例如：「希臘人把『存有』解為 ousia，或更完全地 parousia，我們的字典錯誤地把這字翻為實體（substance）。……ousia 指穩定的，忍耐的存有。存有在其動態面向是自然（physis，我們物理學的字根）。

海德格說哪一個都不能被『存在』（exist）這術語取代。」[18]故
存在是日常的自我意識，海德格在希臘史的開端找尋存有的涵
義。紀元不是現實的歷史，是道的歷史。

> 孔德之容，惟道是從。道之為物，惟恍惟惚。惚兮恍兮，
> 其中有象。恍兮惚兮，其中有物。窈兮冥兮，其中有精。
> 其精甚真，其中有信。自古即今，其名不去，以閱眾甫。
> 吾何以知眾甫之狀哉？以此。（〈第二十一章〉）

王弼注：「孔，空也。惟以空為德，然後乃能動作從道。」
以空虛為德的容貌，才能以道為依歸；空虛之德，從於道。在視
覺、聽覺及觸覺所不及處，有形象也有某種事物；其實德是先個
體的特異性已是如此，但老子的德是以空虛為性。深遠幽冥，其
中有更精細的物質。這更精細的物質如此真實，它的活動也是信
實的。我們能不能由當代量子物理學的發展來補充：「原子是由
粒子組成的，這些粒子卻不是由任何有形的『材料』組成的。在
我們觀察他們時，決不會看到任何物質。所看到的只是不斷地相
互轉化著的動態圖像——能量的繼續『舞蹈』。量子理論表明，
粒子並不是孤立的物質顆粒，而是概率的圖像，是不可分割的宇
宙網絡中的相互聯繫。」[19]此段由原子到粒子可解釋「其精甚
真，其中有信。」「信」是能量的繼續舞蹈。道無論其名為何，
總是存在著。王弼注「眾甫」為「物之始」，道的活動在萬物的

---

[18] George Steiner, "Heidegger." (London: Fontana, 1987), p.49-50.
[19] 〔美〕卡普拉（Fritjof Capra）《物理學之道》，朱潤生譯（北京：中
央編譯，2012），頁 160。

開始處，此處即為德，thing's being。

> 有物混成，先天地生。寂兮寥兮，獨立而不改，周行而不
> 殆，可以為天下母。吾不知其名，字之曰道，強為之名曰
> 大。大曰逝，逝曰遠，遠曰反。故道大，天大，地大，王
> 亦大。域中有四大，而王居其一焉。人法地，地法天，天
> 法道，道法自然。（〈第二十五章〉）

　　粒子本身以雙重面貌存在：如是粒子，則是實體；但又是
波，能量的波動。現在老子解釋道先於天地而生，孤寂深遠，獨
立運作而不止息，可以成為天下的根源。天地是自然義，天下是
社會義。道周遍運行，成為天下的根源。天地較天下有優先的含
義。因為海德格認為存有在希臘文字根是 physis，義即為自然。
老子不知它的名字，稱之為道。但如果強為之命名，命名為廣
大，它周遍運行。大總是合於道，「執大象，天下往。」（〈第
三十五章〉）大象即大道，故「大象無形」（〈第四十一章〉）
既周遍運行於天地萬物，故曰消逝。廣大之道是人無法獨佔的，
故曰遙遠。只有離開人來設想，即離開人文主義來設想，這消逝
之道、遙遠之道才是回歸之道。一連串命名，以廣大之道為首
要，但這只是強為之命名；為免定於一名，成為有名，故舉其它
特性再為之命名。道既然先天地生，宇宙論生產的序列應是道然
後天地，然後是天下萬物。天地既在萬物之前，天亦大，天覆蓋
萬物；地亦大，地承載萬物。天地的意義在此只是簡便地說。在
道的領域中，道家聖人的王也居其一，成為四大。大地是我們生
活中所開展的現實空間，我們在大地上生、老、病、死，河上公

注曰：「人當法地，安靜柔和也。」另外可注意者：「老子之言守雌，法牝，守母皆為陰物，亦世所謂坤道，地道之所在之物。」[20]暫時只能說到這裡。其實對應的有點是「知常容」（〈第十六章〉），知道先個人的特異性經常運行的力度和限度，就知道包容萬物的差異性。大地是包容萬物的差異性，再沖和出天的蕩然公平，於是再法天的蕩然公平。天則法道，天還是效法廣大之道；道還是效法自然，道還是自然而然。

> 道沖而用之，或不盈。淵兮似萬物之宗；挫其銳，解其紛，和其光，同其塵，湛兮似或存。吾不知其誰子，象帝之先。（〈第四章〉）

　　道沖而用於萬物之上，這樣消耗或不會盈滿。河上公注：「道常謙虛，不盈滿。」用其不盈滿之意，既是道，不需將其擬人化為謙虛。既是道將能量沖流於萬物，所以道是深淵，像萬物之宗主。道也是深淵之道。此段解釋道與萬物的關係，挫去萬物的銳利，解去萬物的紛雜，調和萬物的光芒，混同萬物的塵跡。湛原來即水深之意，道深深地好像在萬物中存在著。道先於上帝存在，至少在道的領域中四大：道、天、地、王中沒有上帝的位置，那麼上帝是萬物中的超越者，最高物。

　　道是深淵（abyss），什麼是深淵？「給深淵的字──Abground……我們應該思考 Ab──為根據的完全缺席。根據是

20　唐君毅《中國哲學原論‧原道篇》（香港：新亞研究所，1973），頁291。只是他認為法牝或守母均有不足。

扎根並去站立於其中的土壤。當根據無法來到的年代，懸置在深淵中。」[21]如果土壤可視為大地，大地一般被視為穩定的根據，但大地有其隱蔽的方式，即深淵：根據的完全消失，現實原則的缺席，甚至理性原則的崩塌。

深淵最後等於水，沖而用之，故善利萬物。「上善若水，水善利萬物而不爭，處眾人之所惡，故幾於道。居善地，心善淵，與善仁，言善信，政善治，事善能，動善時。夫唯不爭，故無尤。」（〈第八章〉）最佳的善是像水一樣，水「善於」滋潤萬物而不與萬物相爭，就很接近道了。水利於萬物，如道生發萬物。「善」是存有論的「善於」、擅長（is skilled in, good at），人只要像水一樣保持低下的位置，就善於、擅長把相遇的人、物調和成存有論事件。居住善於選擇地方，充滿生機。心保持像廣大的深淵，善於包容。給與善於保持真情（仁），了解人的需要。言語善於保持人的誠信，政治善於治理，行動善於選擇時間。因為從來不與人相爭，故無怨尤。深淵是廣大包容，水是善於使萬物得利。

> 谷神不死，是謂玄牝。玄牝之門，是謂天地根。綿綿若存，用之不勤。（〈第六章〉）

山谷中的空虛是谷神，山谷中的神靈。山谷中的空虛，是天、地交會，既然是空虛，不是實物故不會死亡。這就是神秘的

21　Martin Heidegger, "Poetry, Language, Thought." Albert Hofstader trans., (New York: Harper and Row, 1971), p.92.

陰性（玄牝），神秘陰性的門戶，生天生地是天地的根源。這裡
類似性愛存有論，微弱的存在，怎麼使用也不會耗盡。「綿綿若
存，用之不勤。」是可與「沖而用之」相比較，故谷神亦即深
淵，提出陰性存有論，Abground 的沒有根據，只是空虛。也就
是在日常自我意識的實體形上學下，在「男、女」的二元邏輯
中，策略性地翻轉，反日常自我意識之道。道即是深淵、谷神、
玄牝；水近於道，也是陰性，老子是最早的女性主義。

> 江海所以能為百谷王者，以其善下之，故能為百谷王。是
> 以聖人欲上民，必以言下之；欲先民，必以身後之。是以
> 聖人處上而民不重；處前而民不害。是以天下樂推而不
> 厭。以其不爭，故天下莫能與之爭。（〈第六十六章〉）

　　山谷的水都匯流入大海，就是江海善於保持低下。所以聖人
欲在民之上，言語必謙卑低下；欲在人民之先，身體必退讓在
後。所以聖人在上，人民不感到沈重；在人民之前而人民也不謀
害他。所以天下人樂於推崇他而不厭倦。因為他不與人相爭，所
以天下人沒有能與他爭的。江海與深淵，二而一也。「道之在天
下，猶川谷之於江海。」（〈第三十二章〉）天下猶川谷，道猶
江海，川谷之水匯流入江海。以上可以圖示意。

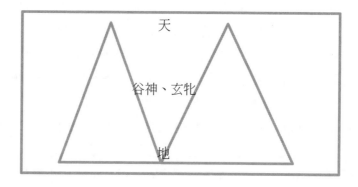

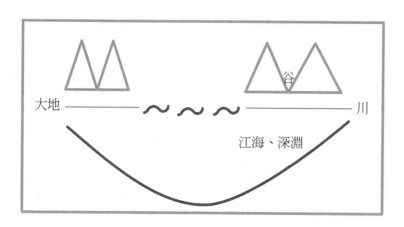

　　依這兩圖，可得道的簡單概念。道是谷神或玄牝，道是深淵
和江海。谷神或玄牝都是指山谷中的空虛，而為天地的根源。另
一說法在「天地之間，其猶橐籥乎！虛而不屈，動而愈出。」
（〈第五章〉）天地之間像空虛的風箱，卻無法窮盡，一動蕩就
生出風來。這說法在莊子「大塊噫氣」（〈齊物論〉）得到較大
的發揮。老子較偏重江海和深淵。方東美在說明「道體」上，頗
得其要。道體：道乃是無限的真實存在本體。(a)道為萬物之
宗，深淵不可測，其有在乃在上帝之先。(b)道為天地根，萬物
之所由生。(c)道元一，為天地萬物的一切之同具。(d)道為一切
活動之唯一範型及法式。(e)道為大象或玄牝，抱萬物而蓄養
之，如慈母之於嬰兒。(f)道為命運之最後歸趨，謂之「歸根」。
[22]其中「道元一」或可改成「道生一」（〈第四十二章〉）；我
們也尚未說明慈母與嬰兒的關係。「生」字如此重要，就是海德
格義的生產（poiesis）。[23]

> 道生之，德蓄之，物形之，勢成之。是以萬物莫不尊道而
> 貴德。道之尊，德之貴，夫莫之命而常自然。故道生之，
> 德蓄之，長之、育之、亭之、毒之、養之、覆之。生而不
> 有，為而不恃，長而不宰；是謂玄德。（〈第五十一
> 章〉）

　　道生之的「之」自指德，因為道「獨立而不改」。德者德

22　方東美《原始儒家道家哲學》（臺北：黎明，1983），頁 168。
23　陳榮灼《海德格與中國哲學》（英文書）（臺北：雙葉，1986），頁
　　127。

也，故「之」字指道，只是蓄存道的動力。道沖而用之，在德上蓄存道的動力，而成為先個體的特異性，故在德上已帶有萬物之特殊性。在道與德上，基本上是存有論的，也就是屬於道的，是天地，是自然。由於先個體的特異性，形成了物，物也就有了形體，「之」字語助詞；由物所占有的空間，成就現實的勢力，這「之」字仍為語助詞。在物與勢上，基本上是存在論的，人亦屬於萬物；是天下，是社會。在道上說無，在德上說有；在道、德上說無，無形無名；在物、勢說有，有形有名。尊道，道是存有；貴德，德是人的存有，物的存有。因為《老子》全書幾乎都在解釋這四個字的關係，故將此四個概念是為萬物的道論結構。

道生產萬物，通過德而發生；德只是蓄存道的動力，帶著萬物的先個體特異性。這是道的尊貴，德的珍貴，沒有什麼能主宰而常自然發生。使萬物成長並作育萬物；使萬物成熟，並養護萬物。故生產萬物而不占有，對萬物有所作為而不仗恃，使其成長而不主宰，是神秘的德行。

母子關係道、德、物、勢四個概念可收斂成二組關係，簡化之就是道對天下。

> 天下有始，以為天下母。既得其母，以知其子；既知其子，復守其母，沒身不殆。塞其兌，閉其門，終身不勤；開其兌，濟其事，終身不救。見小曰明，守柔曰強。用其光，復歸其明，無遺身殃。是謂習常。（〈第五十二章〉）

天下的開始當然是道，這是天下的根源（母），直說是天下

的母親亦無不可。既得其根源，就可以了解自己所生產的。這道
對天下的關係，直接是母子關係。既了解自己的孩子，又守住自
己的母親，終身也不會有危險。「兌」簡單說，就是「說」，把
嘴閉緊，把門關閉，終身也不會勞苦；打開大門，使事情成功，
終身都無法救治了。見到微小是智慧，守著柔弱是剛強；這難道
不是母親的德行嗎？老子以道對天下的母子關係取代了儒家以
仁、義、禮直面天下的父子關係。用道的光照回歸到智慧，這叫
做學習常道。道是母親，谷神不是實體，就成為神秘的陰性（玄
牝）。不惟如此，道是母親，而德是嬰兒。

> 含德之厚，比於赤子。蜂蠆虺蛇不螫，猛獸不據，攫鳥不
> 博。骨弱筋柔而握固，未知牝牡之和而朘作，精之至也。
> 終日號而不嗄，和之至也。知和曰常，知常曰明。益生曰
> 祥，心使氣曰強。物壯則老，是謂不道，不道早已。
> （〈第五十五章〉）

嬰兒是蓄存道（母親）的動力非常豐厚，關係親近；天下萬
物皆有其德，不是含德之厚。含德之厚就接近道。毒蟲不螫咬
他，猛獸不捉他，鷹鵰也不抓他。這是因為他筋骨柔弱而握得很
牢，不知男女交合的事而生殖器勃起，精力達到極至。整天哭嚎
而不沙啞，和氣到了極至。知道和氣是常道，知道常道叫智慧。
對生命有益叫吉祥，以心放縱怒氣是好強。萬物壯盛則衰老，是
謂不合乎道，不合乎道的很快就結束。嬰兒是德厚而靠近道，物
壯是物順勢發展；兩者是柔弱與剛強對比的極端。所以「反者道
之動；弱者道之用。」（〈第四十章〉）道的運動與物、勢相

反，物要反歸其德；道的發用是柔弱的。

　　知其雄，守其雌，為天下谿。為天下谿，常德不離，復歸
　　於嬰兒。知其白，守其黑，為天下式。為天下式，常德不
　　忒，復歸於無極。知其榮，守其辱，為天下谷。為天下
　　谷，常德乃足，復歸於樸。樸散則為器，聖人用之則為官
　　長。故大制不割。（〈第二十八章〉）

　　知道天下是要稱雄，卻守著雌的柔弱，成為天下的溪谷。這
裡雄雌關係也套進來，並以雌為得其常德。溪谷、山谷、深淵、
谷神，都是神秘的陰性（玄牝）。不離開本常的德，又回歸到天
真的嬰兒。
　　男人、女人的對比，成人、嬰兒的對比，在這裡被翻轉；以
女人、嬰兒為不離常德。男人剛強，女人柔弱；取女人。成人世
故，嬰兒天真；取嬰兒。知道天下都要顯揚自己，卻守著昏昧黑
暗，成為天下可效法的；本常的德性不過分，又回歸到沒有極
限。知道天下的光榮，卻守著屈辱，成為天下的山谷。成為天下
的山谷，本常的德性乃充足，又回歸原木的樸拙。原木拆散成為
器具；聖人用原始的樸拙，成為百官之長。所以大的制度不能拆
散分割。樸：原木，是原始天然；是質樸。
　　母親與嬰兒的關係，成為道與德的關係。「我獨泊兮其未
兆，如嬰兒之未孩。儽儽兮若無所歸。……澹兮其若海，飂兮若
無止。……。我獨異於人而貴食母。」（〈第二十章〉）我獨自
漂泊在沒有朕兆的地方，好像沒有成為孩童的嬰兒。散散漫漫無
所歸依，因為天下沒有我可歸依之處。……澹泊得像大海，漂蕩

好像不會停止，……我和別人不一樣，我看重食用大道（母親）。視道為母親，而德為嬰兒，德之向道回歸，則如嬰兒歸回母親的懷抱。「我有三寶，持而保之。一曰慈，二曰儉，三曰不敢為天下先。慈故能勇，儉故能廣，不敢為天下先，故能成器長。」（〈第六十七章〉）[24]得道的聖人則把自己想為母親，而天下為嬰兒，慈愛分明是母親的德性。母親的勇敢是慈愛子女的勇敢。母親的節儉，所以能珍惜各種事物，這才能達到廣大的德性。不敢在天下爭先，所以能保存自己的生命，得以長壽。器是把身體視為保存生命的器具。這是「勇於敢則殺，勇於不敢則活。」（〈第七十三章〉）勇於不敢，則活得長久。〈第六十七章〉後文：「夫慈，以戰則勝，以守則固，天將救之，以慈衛之。」這就是以母親慈愛的勇敢，戰爭才得以獲勝，守衛得以堅固。「專氣致柔，能嬰兒乎？……天門開闔，能為雌乎？」（〈第十章〉）專注於柔和之氣，能達到嬰兒的狀態嗎？河上公注：「治身天門謂鼻孔。」開闔就是呼吸的狀態，故而並非盛氣凌人，仍然是柔和之氣，這是母親與嬰兒的關係。道對天下，是雌與雄的關係：「天下之至柔，馳騁天下之至堅，無有入無間，吾是以知無為之有益。」（〈四十三章〉）天下最柔弱的東西，入於天下最剛強的東西，這又是雌雄關係了。以空虛的東西進入沒有間隙的東西，這是無為的益處。「大國者下流，天下之交，天下之牝。牝常以靜勝牡，以靜為下。」（〈第六十一章〉）這豈非陰性的安靜，勝過陽性的剛強，以柔弱勝剛強的道理。結果

24　「成器長」一語，王弼注：「然後乃能立成器為天下利，為物之長也。」河上公注：「我能為得道人之長也。」均非。故緊接其後：「今舍慈且勇，舍儉且廣，舍後且先，死矣。」證明是死活問題。

就是「天下莫柔弱於水，而攻堅強者，莫之能勝，其無以易之。弱之勝強，柔之勝剛，天下莫不知，莫能行。」（〈第七十八章〉）母親、嬰兒的柔弱，是水的柔弱。

道的生產萬物：

　　道───＞德───＞物───＞勢
　　（無：無為）　　　　（有：有為）

道的動力在反：

　　道＜───德＜───物＜───勢
　　（母）　（嬰兒）　（子）
　　（柔　　弱）　　（剛　　強）

不過剛才在〈第十章〉的引文中頭一句是：「載營魄抱一」，承載著魂魄抱著一，一字顯然與「專氣致柔」有關，但什麼是一？

第三節　何謂一、二、三

道生一，一生二，二生三，三生萬物。萬物負陰而抱陽，沖氣以為和。人之所惡，唯孤、寡、不穀，而王公以為稱。故物，或損之而益，或益之而損。人之所教，我亦教之。強梁者不得其死，吾將以為教父。（〈四十二章〉）

一、二、三是神秘的數字。如果按照「道生之，德蓄之，物形之，勢成之。」（〈第五十一章〉）則在道與物間，只有一個

德字，那麼在德的概念上往後反和往前伸發生了一、二、三的數字。「天下萬物生於有，有生於無。」（〈第四十章〉）無、有、物三層可否與道、德、物相配？好像不清楚。但無和有「此兩者同出而異名」（〈第一章〉）總是同生於道，故無和有也在一、二、三的層次上產生。無和有同出於道，但無生有。

「昔之得一者，天得一以清，地得一以寧，神得一以靈，谷得一以盈，萬物得一以生，侯王得一以為天下貞。」（〈第三十九章〉）天和地是「域中四大」，天大、地大，大過萬物。神是萬物之至高者，超越者。谷如果得一就成為谷神。王得一就是域中四大的「王亦大」。此章對「一」有些指示：「故貴以賤為本，高以下為基。是以侯王自謂孤、寡、不穀。此非以賤為本邪？」（〈第三十九章〉）一是低賤和卑下。此亦「聖人抱一為天下式」（〈第二十二章〉）之意。但王弼在〈第四十二章〉有個精彩的注釋：「萬物萬形，其歸一也。何由致一？由於無也。」一即是無。河上公此章注：「一生陰與陽也。」這是「一生二」。將兩注合觀，可否說無生出無和有，陰生出陰和陽？不惟如此，徐復觀解「一生二」時說「即是一生天地」[25]。那麼就是地生出天地。如此說得彆扭，簡化一點，因為「有生於無」，所以一生二是無生出有，所以二是無加上有。那麼陰生出陽，二就是陰加上陽。地生出天，二就是地加上天。這樣的話，「二生三」就變得容易，無、有是存有論概念，存有宇宙論的三是無有之玄；陰、陽是氣化概念，故氣化宇宙論的三是沖氣之合。天、地是自然概念，故日常宇宙論的三是天地相合。「天地相合，以

---

25 徐復觀《中國人性論史》（臺北：臺灣商務，1977），頁335。

降甘露。」（〈第三十二章〉）簡單地說：三是無、有、玄三者，玄是無和有辯證；三是陰、陽、氣三者，氣是陰陽沖和；三是地、天、水（甘露）三者，水是天地相合。

　　這樣，一可以是無、地、陰三者；但我們要注意這是「道生一，一生二，二生三，三生萬物」的生產結構，一、二、三個字帶有三重的概念，即存有宇宙論的，氣化（物質）宇宙論和生命（精神）宇宙論的。如果以回歸的方式看：「玄德深矣，遠矣，與物反矣，然後乃至大順。」（〈第六十五章〉）玄德是由德向道回歸，但道是「獨立而不改」（〈第二十五章〉），玄德只能是回歸到道與德的中間地帶，德之神秘化就是玄德。那麼「聖人抱一為天下式」（〈第二十二章〉）就是抱玄了，就是由有向無回歸，才產生互含的動力；同理，由陽向陰回歸，一就是氣；由天向地回歸，一就是水。

　　以圖示意如下：

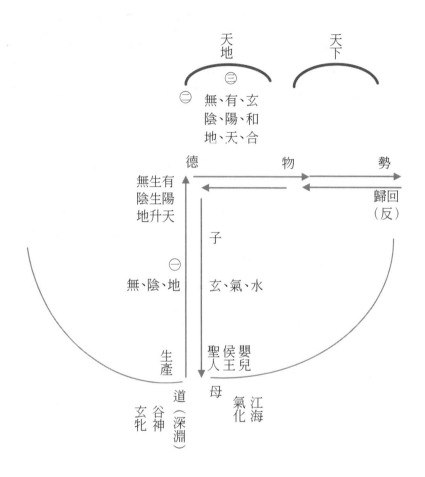

　　這樣，道是江海之道，深淵之道；道也是谷神之道，玄牝之
道。甚至直說是母道，亦無不可。道亦是氣化之道，水之道，玄
秘之道。

第六章　仁和天道：孔子天地氣象

　　孔子曰：「志於道，據於德，依於仁，遊於藝。」（《論語‧陽貨》）「道」、「德」、「仁」、「藝」可以說是孔子之學在概念思惟的總綱架，凡是哲學家，總是在概念思惟上有所發明。這也是德勒茲（Gilles Deleuze, 1925-1975）說哲學家要創造概念的意思；故而：「每一個概念因此被思考為它自己組成部分的一致的、濃縮的和聚積的點。概念的點連續地橫過其成分，在其中起落。」[1]這也就是這四個概念均有其組成部分，概念的點是其中一致的、濃縮的和聚積的點；那麼這四個概念就橫過這四個概念的成分。

　　無獨有偶的，老子也有四個概念，是老子之學在概念思惟的總綱架。「道生之，德蓄之，物形之，勢成之。」（《老子‧五十一章》）同樣有「道」與「德」兩個概念，老子把「道」視為主詞，姑且說是宇宙的動力，「道」有生發的力量，「之」字沒有確定的對象。「德」是聚積保存「道」的動力，「之」字指「道」；故「德」是指在物體形成之前所積聚的保存的道的動力。萬種散殊不同的動力，在個體形成之前，就已有了不同的差

---

[1]　Gilles Deleuze and Felix Guattary, "What is Philosophy?" Hugh Tomlinsou and Grahan Burchell trans., (New York: Columbia Univ., 1994), p.20.

異。老子重點放在「道」和萬物的關係，孔子放在「道」和
「仁」的關係；在孔子這邊，好像採取人文主義的立場：「人能
弘道，非到弘人。」（《論語・衛靈公》）憑藉人的力量，能弘
揚彰顯道。

姑不論在「道」與「德」概念上的重複，既是主要概念，必
得要在這兩個概念上區別出儒、道的差異。

第一節　志於道

孔子說：「朝聞道，夕死可矣。」（《論語・里仁》）表示
道的真實內容是生命的真實內容，故道應為我們生命的志向，所
謂「士志於道，而恥惡衣惡食者，未是與議也。」（《論語・里
仁》）

道與人的關係？或是道可以說是天與人的關係：「吾欲無
言，……天何言哉？四時行焉，百物生焉，天何言哉！」（《論
語・陽貨》）故而天之無言，是指春、夏、秋、冬四季即時間的
運行，一切事物的生長；「吾」的「無言」是效法天，「欲」是
欲效法。這裡重要的是「行」和「生」均是動詞，天是運行和創
生的涵義，但孔子單提天而不提天道，也不提道。這裡天本有自
本自根的涵義，是時間的運行和百物的創生，但那只是自然的運
行和創生，對孔子而言，那只能引向人在道德的實踐和創生。

孔子似乎用天來保證文化道統的實現，因為天不外是天和人
的關係。孔子曰：「文王既歿，文不在茲乎？天之將喪斯文也，
後死者不得與於斯文也；天之未喪斯文也，匡人其如予何？」
（《論語・子罕》）孔子長得如惡人陽虎，故被匡人圍禁五天，

孔子認為天似乎保證著：文化道統的綿延，周文王的文化道統就由自己繼承，文化道統要能傳遞下去，匡人也拿孔子無可奈何。孔子以天的超越性來保證歷史文化的綿延，似也有「道成肉身」的意涵。

據於德

至於「德」字，孔子說：「天生德於予，桓魋其如予何？」（《論語．述而》）天生德於孔子，但天生不生德於一切人？如果天僅生德於孔子，那麼「德」字應該包括文化道統的意思，如果天生德於一切人，那麼超越性產生了內在性在人之中，按照「據於德」的說法，理應為天生德於一切人，或許於孔子「天生德於予」有更積極的文化道統的意涵，但天生德於一切人應有普遍的涵義。當子貢說：「夫子之文章，可得而聞也，夫子之言性與天道，不可得而聞也。」（《論語．公冶長》）「天道」與「性」正當於孔子的「道」與「德」兩個概念，只不過孔子言天，天生德於人是「性」，那麼「德」就是「性」。內在性的「德」就是本性。牟宗三曾就此評論：「性之問題在孔子猶是未敞開者。雖或偶爾觸及然未能十分正視而著力。若依子貢之語觀之，雖難聞，而孔子未始不言，至少亦未始無其洞悟處。」[2]但在本文看來，何至於「未敞開」，「德」就是我們性命的內在根據，是我們的內在道德性與創生性。當孔子說：「二三子以我為隱乎，吾無隱乎爾。吾無行而不與二三子者，是丘也。」（《論語．述而》）或許就是孔子未在概念的內在平面展開相關各種成

2　牟宗三《心理與性體（一）》（臺北：正中，1969），頁25。

分的論述,以致於弟子們以為有所隱藏,孔子似無興趣於概念的展開和連鎖,而只說你們弟子應該看我的行為,也就是說孔子關心的是道德的實踐,而不是哲學家的概念思惟。但我們說在「道」與「德」的概念上,已有「天道性命相貫通」的宏觀。

推廣到政治上:「為政以德,譬如北辰,居其所,而眾星拱之。」(《論語‧為政》)秉著天賦的德性來治理國家,就像北極星在的地方,而所有星星都來環繞一樣,有至於此。

依於仁

由「德」發「仁」,「德」是人性的根據地,德是潛德幽光;「仁」是發於心,作為立身處世的憑依。「仁」當然是在心上說,由「德」發「仁」就是由內在的德性發為仁心,是內在地發;故孔子說:「仁遠乎哉?我欲仁,斯仁至矣。」(《論語‧述而》)既是內在地發,「想要」它,它就自然地來到。

1.仁

「仁」被視為真情實感,在希臘文中與 pathos 相當。pathos 是人天生有種隨著自然事物之轉移而哀憐悱惻的能力,動情哀感,人的情感天生有一種感傷的能力。直譯作情感或感覺,甚至感傷亦無不可。pathos 是激動情感的力量,尼采以說陪審員的情況來說明:「恰若戀人無法評斷所鍾愛者的美麗,因為情感之效先於視覺印象,故而被激情裏挾而去的陪審員也失卻了理性的深思。然而與情感(pathos)一樣重要的,乃是自我約束的性格(ethos)。它們通常是有差異的;情感上揚之處,恰是自我約束的性格終止之地。……自我約束的性格:情緒的鎮靜態度,高

貴心性的展露。你在與友善而節制的人打交道。」[3] ethos 所謂的性格已是用來描述那標識了一個社會、國家的支配觀念和信仰。故而 pathos 的情感上揚是沒有 ethos 自我約束的性格，孔子的仁既已預設了 ethos 自我約束的性格，故是由 pathos 向 ethos 滑移。

「仁」可以認為是人的本心，例如：「子釣而不綱，弋不射宿。」（《論語・述而》）孔子釣魚不用魚網；射箭不射睡著的鳥。這代表對自然事物有哀憐惻隱的心。「子食於有喪者之側，未嘗飽也。子於是日哭，則不歌。」（《論語・述而》）因為哀憐而食不下嚥，孔子平常愛唱歌，現在也哭泣而不唱歌。自然情感的發動，也自然合禮；但這是參加喪禮，「仁」已預取社會的客觀面，「仁」要往「義」上走。

2.義

儒家在把君子視為進德修業的起點上，省察行為是否合理而宜。「君子喻於義，小人喻於利。」（《論語・里仁》）故義是客觀的，以義利之辨而區分君子、小人。社會正義已預含在「仁」的實踐當中。「君子之於天下也，無適也，無莫也，義之與比。」（《論語・里仁》）天下就是國家或社會，君子對國家、社會沒有什麼必要強求也沒有必要反對的事，只是依照社會正義的要求。「君子義以為質，禮以行之，孫以出之，信以成之，君子哉！」（《論語・衛靈公》）君子以社會正義作為本質，依禮來行事，謙遜去表現，依信守來完成一件事。仁是本

---

[3]　佛里德里希・尼采《古修辭學描述》，屠友祥譯（上海：上海人民，2001），頁110。

心，義也成為君子的本質；故談社會正義，是君子的本質。故談仁，一定要貫徹到義、禮，禮是外顯的形式，由仁推到義和禮，孔子在道德實踐時有一定的層次來展開。「夫仁者已欲立而立人，已欲達而達人。」（《論語·雍也》）仁德的人，自己想要有所立身而先讓別人立身；自己想要有所顯達，也先讓別人得以顯達。仁德的人一定要達到禮的表現。孔子說：「克己復禮為仁。一日克己復禮，天下歸仁焉。為仁由己，而由人乎哉？」（《論語·顏淵》）「克己」是克制自己「想要」立身、顯達的欲望，由內心的仁德貫徹到外顯的禮的實踐，天下就把仁德歸於你，故而仁、義、禮本為一貫。當顏淵「請問其目」時，孔子把視、聽、言、動都納入禮在實踐時的細目，視覺、聽覺為一組，言語和行為已涉入人與人的溝通與互動，所謂「非禮勿言，非禮勿動」。

3.禮

在禮上包含著歷史文化傳統，需知禮本就是古代的法律，國家社會的運行規則。「孔子謂季氏：『八佾舞於庭，是可忍也，孰不可忍也？』」（《論語·八佾》）季氏是魯國大夫，孔子弟子，卻僭用天子之禮，孔子直謂無法忍受。歷史文化傳統在禮上有許多細節，故「子入太廟，每事問。或曰：『孰謂鄹人之子知禮乎？入太廟，每事問。』子聞之曰：『是禮也。』」（《論語·八佾》）太廟是供奉皇帝及其先祖的地方，孔子每事都要詳加了解。「子張問：『十世可知也？』子曰：『殷因於夏禮，所損易，可知也；周因於殷禮，所損益，可知也；或其繼周者，雖百世可知也。』」（《論語·為政》）孔子對夏、商、周朝禮儀制度的熟悉，能了解其中的損益，觀察到其中損益的趨勢，就可

以推知百代。足資證明孔子對禮儀制度的熟悉。

　　《禮記‧曾子問》記載：「孔子曰：『昔者吾從老聃助葬於巷黨⋯⋯』」云云，孔子「問禮於老聃，訪樂於萇弘，學鼓琴於師襄子」，萇弘是周敬王時大夫，師襄是魯國樂官，禮樂在執禮時本為一體，鼓琴則屬「游於藝」的範圍。《孔子家語‧觀周》曾記載孔子曰：「吾聞老聃博古通今，通禮樂之原，明道德之歸，則吾師也。」即老子是孔子的老師，在概念思惟上，「道」、「德」二字重複也就不令人訝異，雖然在內容上是有點差異的。對老子，「道」、「德」是本，無所謂歸趨；對孔子，其歸趨則是在禮樂。至於「禮樂之原」，在老子是「故失道而後德，失德而後仁，失仁而後義，失義而後禮。」（《老子‧三十八章》）是大道淪喪至極點了。《史記‧老莊申韓列傳》老子告誡孔子說：「⋯⋯且君子得其時則駕，不得其時則蓬累而行。吾聞之，良賈深藏若虛，君子盛德容貌若愚，去子之驕氣與多欲，態色與淫志，是皆無益於子之身。」孔子雖是問禮，但老子、孔子對盛德內容的指涉是不一的，對孔子就是人性的根據地，所謂道德性、創造性，對孔子而言，理解的就是禮儀要以謙虛、謙遜的態度表現。無怪乎「林放問禮之本。子曰：『大哉問！禮，與其奢也，寧儉。喪，與其易也，寧戚。』」（《論語‧八佾》）「禮之本」豈不類似於孔子想從老子認識到「禮樂之原」，故『大哉問』。儉樸與哀戚，是禮儀的簡化和收束，孔子指回歸本心，自然而發。

4.智

　　不過在另一段《史記‧孔子世家》中，老子似在指責孔子「智」的問題。「聰明深察而近於死者，好譏議人者也，博辯廣

大危其身者，發人之惡者也。為人子者毋以有己，為人臣者毋以有己。」老子是從道的智慧看，對孔子則屬於「非禮勿言」的層次。孔子說：「不知命，無以為君子也。不知禮，無以立也，不知言，無以為人也。」孔子的「道」、「德」概念下，仁德的實踐與命運的概念一起立，受命有其限制。要「知禮」才能立身處世，要「知言」才能有知人之明。這樣的知，對命限、禮儀、制度（包括歷史文化傳統的）和言語的交流，是屬於智的領域。「眾惡之，必察焉；眾好之，必察焉。」（《論語‧衛靈公》）豈不是落於老子所批評的「聰明深察」？聰明到要深察眾人的好惡。「子曰：視其所以，觀其所由，察其所安，人焉廋哉？人焉廋哉？」（《論語‧為政》）故「智」是由「仁」內在地發，由「知命」發到外在的「知禮」、「知言」，乃至有知人之明。看他所做的事，靜觀他做這事的緣由，再察看他心安不安，人是無法隱瞞他自己的。這如何不是「聰明深察」呢？

　　仁、義、禮、智雖是內發外察，但對自己而言，則歸之於仁德的實踐整體，有時聰明深察外在，卻無法歸之於仁德的實踐，致孔子有「智及仁守」之嘆。「子曰：知及之，仁不能守之，雖得之，必失之。知及之，仁能守之。不莊以涖之，則民不敬。知及之，仁能守之，莊以涖之。動之不以禮，未善也。」（《論語。衛靈公》）由內發外的智及之，由外歸內的仁德實踐不能貞守住，智雖得之，也會失落。即使智及之，仁德又能貞守住，還要有大義凜然的莊嚴態度；沒有在「義」的層次的莊嚴態度，人民就不會尊敬你。智及之，仁德能貞守住，大義凜然的面對人民；還要合乎禮儀的行動，否則不夠完美。在這裡，仁、義、禮、智的層次都提到了，每個層次都得兼顧。「智者不惑，仁者

不憂，勇者不懼。」（《論語·子罕》）智慧的人不迷惑；仁德的人不憂慮，而在仁、義、禮、智四個層次外，在更外在的層次上，在行為的層次上提到了「勇」，勇敢的人不懼怕。孔子曾述自己進德修業的過程：「吾十有五而志於學，三十而立，四十而不惑，五十而知天命，六十而耳順，七十而從心所欲，不踰矩。」（《論語·為政》）「志於學」，學什麼，當是歷史文化傳統，到三十歲時，仁學有所樹立，知禮。四十歲是智者不惑，是知義。五十歲「知天命」就是「知命」，知道自己的受命在仁德實踐上有其命限。六十歲「耳順」，是聲入心通，所謂「知言」。七十歲時「從心所欲」守住了禮儀上的行為，才完成仁德實踐的「仁守」。故孔子說：「仁者先難而後獲，可謂仁矣。」（《論語·雍也》）智及仁守，就是「先難而後獲」，仁德的實踐在仁、義、禮、智的層次上，甚至在受命而有其命限的層次上，使生命的歷程顯得無比艱難。七十歲，當是仁德實踐的圓熟期。

遊於藝

「顏淵喟然嘆曰：『仰之彌高，鑽之彌堅，瞻之在前，忽焉在後；夫子循循然善誘人：博我以文，約我以禮，欲罷不能。』」（《論語·子罕》）夫子博大精深，很難鑽研透徹。如果「約我以禮」可以算是「依於仁」的仁德實踐，「博我以文」可不可以算是「遊於藝」？「子所雅言，詩、書、執禮皆雅言也。」（《論語·述而》）孔子雅正的言論，《詩經》、《書經》和執行禮儀宣唱禮文都是雅正的言論。那麼《詩經》、《書經》是「博我以文」，執行禮儀是「約我以禮」了。孔子說：

「若聖與仁,則吾豈敢?抑為之不厭,誨人不倦,則可謂云爾已矣。」(《論語・述而》)「為之不厭」屬仁德的實踐,「誨人不倦」至少可以有《詩經》、《書經》、《禮經》的教授。孔子也說:「興於詩,立於禮,成於樂。」(《論語・泰伯》)詩可以激發我們的情感,禮是自我約束的性格得以立身處世,樂大概是調和兩者,使生命圓熟。

　　總而言之,詩、書、禮、樂四者,《書經》是古代夏、商、周君王的政治文獻,可以算「博我以文」,但很難列入「遊於藝」而禮已列入「依於仁」討論過了,那麼剩下的只有詩和樂了。「子謂《韶》:盡美矣,又盡善也。謂《武》……盡美矣,未盡善也。」(《論語・八佾》)《韶》是舜帝時的樂曲,又名《九韶》或《九歌》,有政治教化的意涵;《武》是周武王時代的樂曲,仍有武力征伐之音;兩者雖皆盡美,但盡善要歸之於《韶》。無怪乎「子在齊國聞韶,三月不知肉味。曰:『不圖為樂之至於斯也!』」(《論語・述而》)就是沒想到在藝術上的美還可以達到道德上的善。「吾自衛反魯,然後樂正,雅、頌各得其所。」(《論語・子罕》)孔子返回魯國後,音樂才得以正當合理。他把古詩中朝廷的音樂與宗廟的音樂歸回到適當的所在。禮樂又似為一體。

　　即使康德(Immanuel Kant, 1724-1804)贊許道德上的善,也這樣說:「既然趣味服從傾向,不論如何傾向如何文雅,它很容易混淆於所有傾向和激情,這在社會上達到最大的多樣性和最高的程度;和美的趣味,如果奠基於其上的話,只能夠提供從愉

快到善的非常可疑的過渡。」[4]趣味和欣賞都服從我們天性的傾
向，這傾向就與所有傾向和激情混淆（社會的），那麼在美的判
斷中很難從愉快推出善來。這也就是當孔子說：「詩三百，一言
以蔽之，曰：思無邪。」（《論語・為政》）但從道德上的善來
看，有許多詩不能說是不邪，甚至放蕩的激情，例如「有女懷
春，吉士誘之。」（《詩經・野有死麕》）這也就是說「美矣，
未善矣。」因此只能從康德的崇高判斷來分析：「可以看到想像
力——理性的一致不只是假設：它真正的被產出了，產生在衝突
中，這是為何與崇高感一致的常識與一個『文化』不可分，像它
起源的運動。且是在起源中我們發現那對我們的命運是基本
的。」[5]

　　這就是說孔子在想像力和理性的衝突中產生了想像力和理性
的一致，這種與崇高感一致的常識甚至是與歷史文化傳統不可分
的，甚至像歷史文化傳統的起源，決定了我們的命運。因此社會
的移向自然的，而且是「無形式的或畸形的」自然。但孔子在天
道中已將自然建立成時間的運行和創生，相應於人的道德實踐和
創生；那麼是當時的社會已成「無形式的或畸形的」自然，這時
與崇高感一致的常識與一個文化起源運動不可分，孔子所進行
的，實踐的正是這文化起源運動，包含「美矣，未善矣」的藝術
和詩。這也是為何起初想像力與理性不一致時，遭受了到逼迫和
痛苦，「那是崇高，它愉悅是直接的，藉著它對立於感官的興

4　Immanue Kant, "Critique of Judgement." J. H. Bernard trans., (London: Macmillian, 1914), p.176.

5　Gilles Deleuze, "Kant's Critical philosophy" Hugh Tomlinson and Barbara Habberjam, (Minneapolis: Minnesota, 1984), p.51-52.

趣,崇高的『愉悅自己』是純粹的和只是否定的,在它懸擱了遊戲和高舉到嚴肅性中。在那衡量中,它構成了關係到占領道德法則,它與道德有一基本的關係,道德有預設對感性施暴……。」[6]在崇高的分析中,想像力與理性最初的不一致帶來了痛苦,因為對立於感官的興趣。不再是遊戲,而是占領了道德法則的嚴肅性,成為崇高的自我愉悅,最終在道德實踐中與文化起源的運動一起,完成了想像力與理性的一致。美的判斷在文化起源的運動中被接納為文化整體的一部分。換言之,「盡美矣,未盡善矣」也成為文化起源運動的能量。

孔子說:「小子何莫夫學詩,詩可以興,可以觀,可以群,可以怨。邇之事父,遠之事君,多識於草木蟲魚之名。」(《論語‧陽貨》)學詩或《詩經》,可以激揚情感,可以觀察自然,可以交友合群,可以抒發怨怒。為了怕激揚情感也激發了所有傾向和激情,就要冷靜下來觀察,觀察當然也包含人心,可以在真情實感中交志同道合的朋友,這也是曾子所謂:「君子以文會友,以友輔仁。」(《論語‧顏淵》)故而激揚情感也要在道德的善中調和,而抒發怨怒也觸及社會正義(義)。事奉父親是家庭中的父子關係,事奉國君是國家中的君臣關係,這兩者是社會的基礎。草木蟲魚是自然,但自然要從社會的觀點來看,故可以多認識草、木、蟲、魚的名稱。不僅是政治,詩可以運用在外交上。子曰:「誦詩三百,授之以政,不達;使於四方,不能專對;雖多,亦奚以為?」(《論語‧子路》)學了詩,在政治上

---

[6] Jacques Derrida, "The Truth in Painting." Geoffrey Bennington and Ian Macleod trains., (Chicago: Chicago Univ.), p.130.

不能通達，在外交上不能應付，學得雖多又有什麼用？詩關乎政治上的語言與外交辭令，故而說：「不學詩，無以言。」（《論語·季氏》）詩是在真情實感中用言語來表達人與人的關係。這樣，詩是使言語成為言語的，但這言語不僅是激揚情感的個人私密言語，而是「合群」的群體言語。「不知命，無以為君子；不知禮，無以立也；不知言，無以知人也。」（《論語·堯曰》）詩由情感達到智慧，正是仁智雙彰的一種表現；由情感到知言，知人。

「馬拉美所堅持的這種『純粹』語言並不像現代主義的拉丁語《聖經》所希望的那樣，是一種『不及物的』或『自在目的』的語言。相反，它是這樣一種語言，其本身已經聚集了群體的威力，而按奧古斯特·施萊格爾的說法，它是一首『整個人類的詩歌』。」[7]同樣，對孔子而言，詩不是「不及物的」或「自在目的」的語言，詩在激揚情感的時候已聚集了群體的威力（「群」）；詩不僅與文化起源運動不可分，還要占領道德法則，成為「全人類的詩歌」。

第二節　下學而上達

「子夏問曰：『巧笑倩兮，美目盼兮，素以為絢兮，何謂也？』子曰：『繪事後素。』曰：『禮後乎？』子曰：『起予者商也，始可與言詩者也。』」（《論語·八佾》）巧妙的笑容如

7　雅克·朗西埃《文學的政治》，張新木譯（南京：南京大學，2014），頁115。

此美好，水靈的雙眼流轉，素妝就如此燦爛奪目。《詩經》的話是什麼意思啊！孔子聽子夏問，就說：「繪畫也在素白的底子上作。」子夏卻引申到仁和禮的關係，說：「禮是後起的嗎？」孔子一聽：「啟發我的是子夏啊！這樣我才可以和你談論《詩經》啊！」由仁才會有禮，真情實感是禮的底子，不過孔子在禮上殫精竭慮。

「子貢曰：『貧而無諂，富而無驕，何如？』子曰：『未若貧而樂，富而好禮者也。』子貢曰：『詩云：如切如磋，如琢如磨。其斯之謂與？』子曰：『賜也，始可與言詩已矣！告諸往而知來者。』」（《論語‧學而》）子貢說的「貧窮而不諂媚，富貴而不驕傲」是一種態度，但孔子說的「貧窮而快樂，富裕卻好禮儀」；前者由心而發，後者是外顯的修養。前者更像顏淵樂處，故孔子重仁與禮。故子夏說：「《詩經》上的切磋琢磨就是這意思嗎？」我們在感受層上，在禮儀形式的表現都要不停的切磋琢磨！所以孔子說：這樣我就可以和你談論《詩經》了，告訴你這些道理，你就可以知道未來的方向。在仁與禮上是要不斷地切磋琢磨。

孔子是「志於道」，雖然以創造性、道德性（德）為生命的根據地，但在「依於仁」、「游於藝」上，我們更多地見到他是由仁往禮樂的承擔上走。在文化起源的運動中占領到的法則，他認為他與周公是一致的。「甚矣，吾衰矣，久矣無不復夢見周公。」（《論語‧述而》）我已太衰老，很久沒夢見周公。周公輔佐成王攝政，並且制禮作樂，《周易‧爻辭》似也由他訂定？似正是孔子心目中的文化起源運動。但周公雖有盛德，孔子卻私下將自己與老彭比較。有說老彭是商室守藏史，王弼卻說是老

子、彭祖二人。孔子說：「述而不作，信而好古。竊比於我老彭。」（《論語・述而》）孔子在概念思惟上只是敘述而不是創作，相信經典和喜好古代的禮儀法度；孔子的文化起源運動和占領道德法則，賦予《六經》以新的生命。他私下所比照的，我認為依江瑔說是較合理的[8]，彭祖是商室守藏史，老子是周室守藏史而「合老於彭」，此處有文化傳承的豐功偉業在。不過「信而好古」卻是要像篩子一樣過濾整個文化傳統，政治、歷史、禮樂典章制度，不能不說是辛苦的精神工程。

曾子說：「士不可不弘毅，任重而道遠，仁以為己任不亦重乎，死而後已，不亦遠乎！」（《論語・泰伯》）曾子所敘述的，即是把整個文化傳統交給一心承擔，以行仁踐仁作為自己的責任，不是很沈重嗎！一直到死亡才休息，不是很遙遠的跋涉嗎？讀書人要弘大堅毅，這是生命的大格局，須要有艱忍卓絕的耐力。孔子自己也說：「不怨天，不尤人。下學而上達，知我者，其天乎！」（《論語・憲問》）不怨恨上天，也不責怪別人。這是自己所選擇的一條無盡的漫漫長路，是承擔整個文化傳統，浸潤在整個文化起源運動中，歷史、政治的文獻，禮樂典章制度。這種「好古」即是孔子的「下學」，成為一生無盡的擔負；他認為「志於道」即要經過對文化傳統的熱愛與追求，才能真正達到大道，即是「上達」於天。故只有天才能親切地了解孔子的仁德實踐。

---

[8]　但江瑔說老子世為楚人，為堯時彭祖之後，有商時為守藏史之彭祖，有周時為柱下史之彭祖，至老聃以老子自號，也乃合老於彭稱之。而隱身不仕，著書傳世，改姓李。江瑔《讀子卮言》（臺北：成偉，1975），頁116。

名的問題

「知我」涉及到名的問題，知人是智。

「子曰：學而時習之，不亦悅乎？有朋自遠方來，不亦樂乎？人不知而不慍，不亦君子乎？」（《論語・學而》）人文教化是浸潤於整個文化傳統，歷史、政治文獻和禮、樂典章制度，學後需要常常溫習，這是一種喜悅。凝聚一群志同道合的朋友，舊雨新知，遠方的朋友擴大了群體的力量，是一種快樂。別人不認識你有道德學問而不生氣，不就是行仁踐仁的君子嗎？師生關係、同學關係、人我關係中，師生關係和同學關係是在「志於道」的同溫層內。

「人不知」似乎免除了名的誘惑，「而不慍」是道德修養；但似乎蘊含著「人不知而慍」！也就是在這文化的同溫層內從事的是為整個文化傳統奮鬥，是社會上最高的價值，理上應「知我」。人在社會中奮鬥的動力不外名與利，尤其是名，為了爭取別人的承認而奮鬥到死。「人類實在只能是社會的……群眾每一分子的慾望必然指向（或潛能地指向）其他分子的慾望，……去欲望我存在或表現的價值是由他人所欲望的價值，我想要他去『承認』我的價值為他的價值。」[9]如果「我存在或表現的價值是由他人所欲望的價值是由他人所欲望的價值」，那麼定然指向社會的最高價值標準，才能爭取別人的承認。

在進德修業的過程中，孔子說：「不患人之不己知，患不知人也。」（《論語・學而》）不憂慮別人不知道你自己，因為你

9　Alexandre Kojéve, "Introduction to the Reading of Hegel." James H. Nichols trans., (U.S.A.: Cornell Univ., 1980), p.6-7.

追求的是社會上的最高價值，理當得到最大的名。憂慮的是不知道別人，這是智。孔子說：「不患無位，患所以立。不患莫己知，求為可知也。」（《論語‧里仁》）「位」是窮與達的問題，直說是名與利的問，不憂慮別人不知道你，憂慮的是自己沒有能力。至於自己的能力，仍放在仁、義、禮、智上。「子謂顏淵曰：『用之則行，舍之則藏，惟我與爾有是夫！』」（《論語‧述而》）孔子由倉庫小吏到五十六歲至魯國大司寇（相當於最高法院院長），禮、樂、射、御、書、數無一不精。用仍是為社會上可用，如同有位，在社會上有一位置；不見用，則「道不行，乘桴浮於海」（《論語‧公冶長》）。不過最終孔子說：「君子疾沒世而名不稱焉」（《論語‧衛靈公》）也就是沒世應有與社會最高價值標準相稱的美名。君子逝世時，蓋棺論定，應存最終的評價：有仁德者應有美名。仁德與美名的關係在於如沒有仁德，就不值得美名。故孔子說：「富與貴，是人之所欲也；不以其道得之，不處也。貧與賤，是人之所惡也，不以其道得之，不去也。君子去仁，惡乎成名，君子無終食之間違仁，造次必於是，顛沛必於是。」（《論語‧里仁》）合不合乎「其道」的標準在於合不合乎仁，故君子不離開仁德。

好古

孔子不惟「信而好古」，孔子說：「我非生而知之者，好古，敏以求之者。」（《論語‧述而》）「好古」是喜好古代的政治、歷史文獻、典章制度、禮樂儀式，他是機敏或勤勞地努力去追求的。這樣的「下學」，形成仁德實踐的「任重道遠」，一直到「死而後已」。這樣的「下學」是否能「上達」，也只有等

待蓋棺論定。人在有限中追求無限，也追求復活古代的政治、歷史文獻；只能說孔子復活了文化起源的運動，對於中華民族的命運是基本的，他構成了文化傳統。

「古」並不是儒家的專利，老子也說：「執古之道，以御今之有。能知古始，是謂道紀。」（《老子·十四章》）孔子的好古與老子的「古之道」是有距離的，老子的「古之道」是要抓住古代開始的力量，這是道的紀元；抓住古之道才能駕馭今天的一切。今天的一切，包含仁、義、禮、智，只能是大道的失落。故孔子的「志於道」是想保全古代的政治、歷史文獻、禮樂儀式，馬上與老子「執古之道」的「損之又損，以至於無為。」（《老子·四十八章》）形成了對比。老子是人類或中華民族的起源運動，孔子是中華民族文化的起源運動。儒道兩家形成的是兩個起源運動。

話說回來，孔子的概念思惟以「志於道，據於德，依於仁，遊於藝。」來定住，道、德、仁、藝四個概念，與老子的概念思惟以「道生之，德蓄之，物形之，勢成之」來定住道、德、物、勢四個概念，孔子和老子竟有兩個概念重複，也是夠驚人！所以必得相信儒家司馬遷《史記》孔子問禮於老子的記述，那麼相對的，老子的批判就不能說不嚴厲了，老子說：「子所言者，其人與骨皆已朽矣，獨其言在耳。」（《史記·老子韓非列傳》）也就是說，這場好古窮源的文化起源運動，成為國族的命運！

或許我們該像海德格（Martin Heidegger, 1889-1976）的轉變時所做的，海德格不再從人與存在的關係開始說起，而從前蘇格拉底的思想，即存有開始說起，而為西方形上學找尋另一個開端。如要從道開始說起，道家就是這另一個開端。

第七章　無和無己：莊子逍遙物化

或許我們可以先澄清一下〈天下〉篇的問題。「古之所謂道術者」是道和技術合稱，這並非老、莊的用法。老子說：「執古之道，以御今之有。」（〈第十四章〉）莊子說：「夫道……自本自根，未有天地，自古以固存……。」（〈大宗師〉）〈天下〉篇需要綜論道家各派，故將用法放寬，而稱「古之道術」；這顯然只能是莊子所論，故論到至莊子的好友惠施（和公孫龍）的辯士學派而止。

第一節　一樁公案

道術的提法是「神何由降？明何由出？」這與以下的「聖有所生，王有所成，皆原於一。」好像配成神聖和明王兩個解法；聖人之生和王之成，都開始於一；這是由於聖與王的抱一。現在「神何由降」，好像神是超越性的降下，降下成為內在性之一，故聖人誕生；王也由於抱此內在性之一，才能出「明」，故內在性之一又成為外在性之明。這裡就有超越性的同一之嫌，成為內在性的規定，超越性成為內在於生命的原則。但並非如此。

「神」的概念在莊子的用法，出在〈養生主〉中「庖丁解牛」的寓言中：「方今之時，臣以神遇不以目視，官知止而神欲

行。依乎天理，批大郤，導大窾，因其固然。技經肯綮之未嘗，而況大軱乎！」神遇的條件是把「目視」等感官知覺全部停止，簡單說「神」產生於放鬆自我的日常知覺以致到「喪我」的程度（〈齊物論〉），喪失自我即把自我的主體性空虛下來。這時心神或精神才能開始活動，依循牛體自然的理則，奏刀進入筋骨之間的空隙，依其成形之前原有的狀態；引刀進入骨節中空之處。故喪我是去主體性，心神或精神才開始活動，才能在對象（牛體）中循虛而行，這也是莊子講的「乘物以遊心」（〈人間世〉）而「一」是什麼，只能是「吾喪我」（〈齊物論〉）之後的內在性，氣化活動。

> 不離於宗，謂之天人。不離於精，謂之神人。不離於真，
> 謂之至人。以天為宗，以德為本，以道為門，兆於變化，
> 謂之聖人。以仁為恩，以義為理，以禮為行，以樂為和，
> 薰然慈仁，謂之君子。

如不離開宗旨或宗趣的，稱為天人。當然老子說：「人法地，地法天，天法道，道法自然。」（〈第二十五章〉）莊子也說：「天地與我並生，而萬物與我為一。」（〈齊物論〉）說天人是在理，可是如果把天與「神何由降」連在一起，又成為超越性的同一了。不過老子說天是「知常容，容乃公，公乃王，王乃天，天乃道，道乃久，歿身不殆。」（〈第十六章〉）天有公平的意思；莊子的天在「天籟」（〈齊物論〉）是「夫吹萬不同，而使其自己也，……。」是自然使其成為自己的自然義。當然天在老子、莊子都有天地的天的實指義，可是兩人的用法是不同

的。由天人、神人、至人到聖人，大體上不脫「神何由降，明何由出？」「聖有所生，王有所成，皆原於一。」這樣的大綱，我們只能說這樣的綱略放在老子、莊子上是不恰當的；但〈天下〉篇有更大的戰略目標。

> 古之人其備乎！配神明，古之人其備乎！配神明，醇天地，育萬物，和天下，澤及百姓，明於本數，係於末度，六通四辟，小大精粗，其運無乎不在。

古之人在古之道中，老子「執古之道，以御今之有。」（〈第十四章〉）固不用說，莊子神話般的演繹一長段，只摘取黃帝以後的段落看就明瞭：「黃帝得之，以登雲天；顓頊得之，以處玄宮；禺強得之，立乎北極；西王母得之，坐乎少廣，莫知其始，莫知其終；彭祖得之，上及有虞，下及五伯；傅說得之，以相武丁，庵有天下，乘東維，騎箕尾，而比於列星。」（〈大宗師〉）古代有古之道，神、聖和明、王一在於是。

至於講仁義、禮、樂之君子看來只是聊備一格，成為鄒魯的讀書人和做過官的縉紳先生。

> 其名而在數度者，舊法世傳之史尚多有之。其在於詩書禮樂者，鄒魯之士縉紳先生多能明之。詩以道志，書以道事，禮以道行，樂以道和，春秋以道名分。其數散於天下而設於中國者，百家之學或稱而道之。

史官瞭解古代的典章制度，老子就出於史官；到明王不出

時，君子只能稱道六經，典章散布於天下。

由老、莊的古之道，到〈天下〉篇的古之道術，〈天下〉篇強調的是「內聖外王」之道，是由內在性到外在性的過程，「術」自是治理國家的技術。

〈天下〉篇論列了墨翟、禽滑釐、宋銒、尹文，彭蒙、田駢、慎到，關尹、老聃，莊周，惠施等六派說「古之道術」者，等於論到了道家六派。既首先論述墨子，墨子講天志，這或許是「神何由降」的由來，要把墨家歸入道家一派，就要把天的超越性包進；這樣儒墨並稱顯學也就被儒道的分庭抗禮取代了。雖批判墨子「其生也勤，其死也薄，其道大觳。」也讚美「墨子真天下之好也。將求之不得也，雖枯槁不舍也。」墨子是形容枯槁也不放棄對天下的熱愛。其實墨子還有一種最徹底的經驗主義，墨子標舉賢能的人很能表現〈天下〉篇的道「術」，即「良工」、「良宰」。〈尚賢〉篇中：「今王公大人有一裳不能制也，必藉良工；有一牛羊不能殺也，必藉良宰。……逮至其國家之亂，社稷之危，則不知使能以治之……。」故而良工、良宰代表實踐的智慧。「他（海德格）呈現了把一切知識特別只是意見（doxa）從實踐智慧（phronesis）分開的區分：……這裡描述了一種認知，不承認與在科學義中最後的客觀性有關──一種在存在具體處境中的認知。」[1]這裡就認識到道術的「術」應歸之於實踐智慧，實踐智慧既包含良工、良宰，也包含能治國的人，這是與儒家君子對六經的意見或客觀性科學知識有分別的。這當然是道家

---

[1] Hans-Georg Gadamer, "Heidegger's Ways." John W. Stanly trans., (U.S.A.: State Univ. of New York, 1994), p.32-33.

的立場。宋鈃一組中宋鈃的「見侮不辱，救民之鬥，禁攻寢兵，救世之戰。」正是〈逍遙遊〉中宋榮子「舉世而譽之而不加勸，舉世而非之而不加沮，定乎內外之分，辯乎榮辱之境。」只是為禁止攻伐讓刀兵止息，不把任何欺侮視作羞辱，故他知道真正的光榮。慎到應是法家，重勢；但這裡說他「齊萬物以為首」，「慎到棄知去己而緣不得已，冷汰於物以為道理」，彷彿有道家的味道，但遭批判：「彭蒙田駢慎到不知道」。在〈逍遙遊〉中列子還是高於宋鈃，但遭批判：「彼於致福未數數然也。」也就是列子雖有「御風而行」的神通，還要等待大風的外在條件，不能達到真正的幸福。甚至在〈應帝王〉中見神巫之「知人之死生存亡，禍福壽夭」而心醉，最後在「壺子示相」後開悟。列子不是沒有實踐的智慧，他嚮往神通是想抓住物之巧妙變化，當然昧於大道之深遠莫測。列子該列未列，顯見〈天下〉篇是以哲理的概念為主。

　　後三組中，關尹、老聃那組不應將關尹列在老聃之前，或是為了行文由淺入深。這派所說之古代道術「以本為精，以物為粗，以有積為不足，淡然獨與神明居。」物之本在物以前；精者，德也。「與神明居」或就是「神何由降？明何由出？」之所本，至於說關尹、老聃「建之以常無有，主之以大一，以濡弱謙下為表，以空虛不毀萬物為實。」在概念的建構上均精純，但我建議後兩句改為「濡弱謙下，空虛救護萬物」[2]，因為老子說：「是以聖人常善救人，故無棄人，常善救物，故無棄物。」（〈第二十七章〉）另稱讚地表明「關尹老聃乎！古之博大真人

---

[2]　趙衛民《莊子的道──逍遙散人》（臺北：里仁，2011），頁 15-18。

哉！」加上「古之」已表示與古代道術相合了，博大真人是有廣
大道術的真人。莊子說：「至人無己，神人無功，聖人無名。」
（〈逍遙遊〉）又說：「有真人而後又真知……登高不慄，入水
不濡，入火不熱，是知之能登假於道也若此。」（〈大宗師〉）
真知與大道相合，登高不戰慄，下水不會濕，入火不會熱。故
「古之博大真人」可以說是對關尹、老聃推崇備至。

> 芴漠無形，變化無常，天地之竝與，神明往與！芒乎何
> 知，忽乎何適，萬物畢羅，莫足以歸。

　　這是莊子所喜悅的古代道術。虛空寂寥沒有形跡，變化沒有
常規，與天地並生，與神明往來，芒惑而不知道什麼，飄忽也不
知道到哪裡去，包羅萬物，卻沒有歸宿。天地超過萬物，既與天
地並生，當然在萬物中找不到歸宿。但與神明往來，就具有近乎
關尹老聃的高度。但「芒乎何知」好像〈天下〉篇在構建莊子的
概念上著不上力，至少真人的真知變成「何知」。

> 以謬悠之說，荒唐之言，無端崖之辭，時恣縱而不儻，不
> 以觭見之也。以天下為沈濁，不可與莊語；以巵言為曼
> 衍，以重言為真，以寓言為廣。

　　莊子的語言風格的確引人汁目，不是老子格言式的「道之出
口，淡乎其無味。」（〈第三十五章〉）簡言之有兩類：詩（巵
言），沈醉的語言；敘事（寓言），以對話或事件表達抽象的觀
念。重言是借重聖賢來表達道家的觀念，仍是寓言。這是他的語

言風格在結構形式上的表現，但前說的謬悠、荒唐云云的確是說莊子的語言表達力量放縱而無邊際。但說莊子沒有莊重的言論不等於說：他沒有真知後的真言？這裡只有重言為真，如重言借重孔子、顏淵，那說的是儒家的真，還是道家的真？至少，對莊周的義理概念沒多少交代。

> 其應於化而解於物者，其理不竭其來不蛻，芒乎昧乎，未之盡者。

莊子感應事物的變化來解釋事物，道理無窮而卻沒有轉化，芒惑暗昧很難窮盡。有對神之通達，才會有明；現在〈天下〉篇卻芒惑暗昧於莊子之學。不過可能是莊子自謙之辭，平章天下學術之手筆，定出莊子之手。

至於惠施甚或公孫龍，並未說「古之道術有在於是者，惠施、公孫龍聞其風而說之」，故惠施的辯證法或公孫龍的概念域只能是「辯者」。惠施與莊子同代，公孫龍繼惠施而起。

話說回來，對莊子學的芒惑暗昧不僅是〈天下〉篇，到司馬遷《史記》也仍然如此。「其學無所不闚，然其要本歸於老子之言，故其著書十餘萬言，大抵率寓言也。作《漁父》、《盜跖》、《胠篋》，以詆訿孔子之徒，以明老子之術。」（〈老子韓非列傳〉）「其學無所不闚」多少和老子「周守藏室之史也」相當，是推崇；但「要本歸於老子之言」就是不能在老子外別出心裁了。到魏晉玄學，王弼解老「以無為本」，郭象注莊「以有明宗」；各解各的，彷彿對立。直至清末民初的江瑔（1888-

1917）說：「老莊不同道」，古之學者已知之。」[3]到牟宗三
（1909-1995）以「無為、有為，無為而無不為，本都是從生活
上體驗出的真理⋯⋯無為、有為，一般化而成為有和無，便成為
一對形而上學的概念。如是，無與有便向宇宙論方面伸展，而成
為道體上的概念。」[4]這可以視為存在主義的進路，由生活體驗
伸展到宇宙論，故無和有才成為形上學的概念。從這方式看，所
有老、莊的差異只是表面的，也錯過了當代馬丁、海德格的存有
學思路。也就錯過道家。

第二節　老莊的差異

　　由概念思維來釐清莊子在概念上的建構，比較能看清存有論
的意涵。不過先看老子的存有論構成：「道生之，德蓄之，物形
之，勢成之。」（〈第五十一章〉）道生發萬物，但首先藉著德
來蓄積道的動力；故德是在未成形的個體化之前所蓄積的動力，
這是先於個體的特殊動力。有此特殊動力才能形成個別的事物，
個別的事物就具有它的形體；在個體形成以後，就具有自己的勢
力，存在於與其他事物的力量一關係當中。這幾個「之」字代表
的意義各不相同，「道生之」的之字代表德，德蓄之的之字是代
表道的動力；物形之和勢成之的之字俱為語尾助詞。簡單說，這
是老子的道的結構，四個概念決定了道與萬物的關係位置。其中
並沒有人文主義的色彩，人只是萬物之一；這也是道家與儒家有

3　江璵《讀子卮言》（臺北：成偉，1975），頁97。
4　牟宗三《才性與玄理》（臺北：學生，1975），頁177、178。

所區分之處。

莊子有沒有類似的道論結構？若有，就是堪比較老、莊的差異。〈天地〉篇中有言：

> 泰初有无，无有无名。一之所起，有一而未形。物得以生謂之德，未形者有分，且然無間謂之命。留動而生物，物成生理，謂之形；形體保神，各有儀則，謂之性。性修反德，德至同於初。同乃虛，虛乃大。合喙鳴，喙鳴合，與天地為合。其合緡緡，若愚若昏，是謂玄德，同乎大順。

在這段中，可以得到無、一、德、命、物、理、形七個概念為一組，另外一組為性與神兩個概念。從第一組先看，無成為優位概念，是不是以無取代了道呢？看來也不是，〈天地〉篇談道多矣，「故形非道不生，生非德不明，存形窮生，立德明道。」其中道仍是優位概念。這句就出現道、德、生、形四個較簡約的概念；如果比配第一組概念，「生」命放在物的概念位置，而不是前面的命。前面的命指的是命運。這也就是說如前面七個概念簡約而論，也可以用道、德、物、形四個概念。這四個概念與老子的道、德、物、勢只有一字之差，卻是概念上重大的差異；因為對老子而言，物就包含了形的概念，才能談在現實時空所開展的勢力。老子的物，在莊子裂開為物、形兩個概念；老子在現實時空中開展的勢力消失不見了；取代的是保存自己的形體。老子的「勢成」變成莊子的「存形」，差異很大；如果說勢力可以退讓，保存形體卻不容退讓，成了生命中的大事。換句話說，在老子有物就有其形，形與物合一；「虛其心，實其腹；弱其志，強

其骨。」（〈第三章〉）心志堅強就是物（人）往勢力發展；心志虛弱，就是自勢上撤回；實腹強骨就是保全生命。在莊子，等於說，現實時空的勢力已無可能，保存形體成為需要注意的艱難之事。

回過頭說，道與無畢竟是一事，在道家道當然是最高概念，這裡突顯了無成為最高的概念，何以故？「通於天地者，德也；行於萬物者，道也。」（〈天地〉）道反正是萬物之中的運動，重心反而在無了。老子有「道生一，一生二，二生三，三生萬物。」（〈第四十二章〉）一、二、三都在德的層次上發生，這是存有宇宙論的構造。一、二、三是什麼，我已辯之甚詳[5]；莊子至少知悉德通天地，有二的結構。如果老子的道生一即是道生無，現在莊子的無已居最高概念，即使在〈內七篇〉中快結束處：「無為名尸，無為謀府；無為事任，無為知主。體盡無窮，而遊無朕；盡其所受乎天，而無見得，亦虛而已。」（〈應帝王〉）好像以無為首出了。現在無與一的關係不是生的關係，無已有一是一之未形，一是一之已形。莊子未說明一與德的關係；但如果說「天地與我並生，萬物與我為一」（〈齊物論〉）天地是二，並生於一，還有一生二的關係，也就是一生出天地的構造。但這裡不願講客觀的生，只是一較德有優先序位。甚至不願說德生物，而是說「物得以生謂之德」。但在德與物間，多出了一個命的概念，命就是命運。「未形者有分，且然無間謂之命。」德就物來說仍是未形，「每一物分得如此就是如此（且

5　趙衛民《老子的道——谷神與玄牝》（臺北：里仁，2012），頁 13-20。

然），毫無出入（無間）。」[6]或許要加上說德雖然是未形，但已然分配了有差異的特殊動力，形成在個體之前的命運。把這些動力收所凝結了以後，才生成了物。故是從物開始，才講生的關係；成了物，生出自然的理則出來，這才稱為形體。形體是有自然的理則的。

　　莊子以無的概念首出，是不願講道創生天地萬物的客觀面的宇宙論構造，但道仍是運行於萬物之中的動力，這是動態宇宙論。直說無就是道亦無不可。但道不生一，只是含未成形的一，這就是有另外的目的；甚至也不說一生出二，即是一生出天地出來，雖然看似「天地與我並生，萬物與我為一」，一與生並列，好像含有一生二的構造。簡單來說，老子與莊子在道與德的概念之間均有個一，但因不願像老子說道生一的生產關係，這個一與道或是無就是蘊含關係。在〈應帝王〉末尾，南海之帝和北海之帝為中央之帝渾沌鑿七竅，日鑿一竅而渾沌死，可說無就是渾沌，渾沌和一而未形。渾沌不能有人的七竅，故道與德的概念之下是物的概念，避開了人文主義。老子是道→德→物→勢，莊子是道（無）→德→（命）→物→（理）→形。

　　在說莊子的第二組性與神之前，我們先看老子的道家修養工夫，如何逆轉了箭頭的方向。「致虛極，守靜篤，萬物並作，吾以觀復。夫物芸芸，各復歸其根，歸根曰靜，是謂復命，復命曰常，知常曰明；不知常，妄作凶。知常容，容乃公，公乃王，王乃天，天乃道，道乃久，歿身不殆。」（〈第十六章〉）致虛守

---

[6]　徐復觀《中國人性論史》（臺北：臺灣商務，1977），頁 375。對我們討論的〈天地〉篇，徐復觀也有相當的討論。

靜，虛靜是工夫，這才能看到萬物紛雜，一一各自回歸其根源。
人為何要透過萬物來看，才能有一視見（vision）？因為人有人
為造作，有超過保全生命之所需的人為造作，即是名利。歸回其
根源，心才不會隨名利起舞而動盪不安，這是平靜。平靜就是回
歸個人的命運。這裡就可以仿莊子把命的概念放在德與物的概念
之間。恢復自己的命運就知道萬物間的常法常則。智慧就是不妄
作，避免妄作的凶險，超出自己生命能量的限度；常可視為是個
體生命能量的限制，知道個別生命均有其常態的能量，才懂得包
容。「常德不離」、「常德乃足」（〈第二十八章〉），故「知
常容」的容字可以放在德的概念上說，像大地一樣包容萬物。能
夠包容萬物的差異性才叫公平。對萬物公平對待才能成為王。王
必放在道與德的中間，何以故？「天得一以清，地得一以寧，神
得一以靈，萬物得一以生，侯王得一以為天下貞。」（〈第三十
九章〉）此處的王正是得一者。這樣的王才能成為天覆蓋天下萬
物。天覆蓋天下萬物，影響才會長久，死了影響也不會消失。為
了消除心在勢力上的動盪不安，修養工夫是從物的概念回歸，回
歸到德的概念，回歸到一，在回歸到道。「玄德深矣遠矣，與物
反矣，然後乃至大順。」（〈第六十五章〉）玄德正在一的位
置，與物往其勢的發展相反，然後才是大大的順從於道。故修養
工夫是逆箭頭的關係，自勢上撤回，成為勢→物→德→道。

　　老子的「道生一」是道生出地，「一生二」是地生出天，二
是地和天[7]，這是道生產天地萬物的客觀性的存有宇宙論。在實
踐工夫的回歸之道時也是地生出天，但地在德的位置，天卻在一

7　同註5。

的位置，這是「地法天，天法道。」（〈第二十五章〉）。先天的宇宙論和後天的實踐工夫的位置正相反，老子的天和地的概念含有多少的晦澀。

現在可以看〈天地〉篇的第二組概念：性和神。形體要保全精神，要依照形體各自的自然法則，這叫做性。性的概念在形體之前，在物和形的概念之間；換言之，要按照物成後的自然法則，故性與理在相對應的位置上。修養工夫的目標還是從物上返回德的層次，德至同於初也就是一的層次，也就是神的層次。這精神的層次，在〈天地〉篇後文說「是謂玄德，同乎大順」；在精神的層次是神秘的德性，大大地順從於道。莊子所突顯的神的概念，是在玄德的層次，與老子並無不同。這樣的同於一的層次，就達到了虛空的層次與鳥的鳴聲相合，也就是「與萬物為一體」了，也就是「天地與我並生」的與天地為合了。故修養工夫也是從形上撤回，成為形→物→德→道。從形上撤回，故莊子敘述很多形體上支離殘缺的人。與喙冥合，達到了非人的層次。

> 故通於天地者，德也；行於萬物者，道也；上治人者，事也；能有所藝者，技也。技兼於事，事兼於義，義兼於德，德兼於道，道兼於天。（〈天地〉）

〈齊物論〉也說「道行之而成」，故捨去道創造宇宙的客觀構造，而取動態存有論，似像莊子的根本立場，也可能是向秀、郭象注莊時的物化觀念為首出之所本。道行於萬物之中造成萬物的變化，這就是物化。君王治理人民，這是人與人的關係，這治理的關係成為事件。同樣，人與物的關係也成為一事件；能夠對

物的處理有手藝的,是技藝。技藝處理的超過了物成後所產生的自然理則,並達到物的巧妙變化,技藝就兼及於事件。處理事件合不合宜就兼及於正義,這也就是一種實踐的智慧;正義與實踐智慧有關。實踐智慧要達到物的巧妙變化,必須達到物的特殊動力來源,從物的層次提升到德的層次。正義的合不合宜隸屬於物的差異性,或者說特異性(singularity)。達到了先於個體性的特異性層次,也就兼及於物的動態存有(道)。這動態存有兼及於自然而然的天然。所以天的概念在莊子如「天籟」(〈齊物論〉),「天均」、「天倪」(〈寓言〉)均有老子「道法自然」(〈第二性章〉)的自然而然的意思,所謂自然就是自己成為那個樣子,不是有別的事物使之成為那個樣子。

莊子的概念思維在〈天地〉篇展現整個架構,概念的分際應以〈天地〉篇為基準;至於〈天下〉篇,雖「神何由降,明何由出」一語看似概念有所出入,實為消融墨家於道家中。強調語言風格的放縱而沒有邊際也是是莊子語言之道的特色。論列至好友惠施(和公孫龍),概念掌握之精確,始為大哲學家之手筆。語言之道呼應〈內七篇〉中的〈齊物論〉,技藝之道呼應〈養生主〉;均為莊子別出心裁,戞戞獨創。

德通天地,道行於萬物;莊子的重心漸落於德上,反正「德兼於道」。這樣,老子的特色重在道開展的客觀宇宙論,莊子的特色在於德的內在性,道看似取代「帝」的超越性。莊子多提出在德與物中間的命(命運)的概念,和物與形之間的理(理則)的概念。甚至兩人的實踐智慧均要回到道與德中間的一,老子的抱一,莊子的「天地與我並生,萬物與我為一」。莊子並提出神(精神)來呼應老子的玄德。

第三節　變成－女人

　　德勒茲把哲學視為創造概念的科學：「尼采鋪設了哲學的工作，當他寫：『（哲學家）必須不再接受觀念作為禮物，也不精煉或擦亮它們，而是首先做成和創造概念，並使之有說服力。』」[8]也只有從概念思維定位老、莊的差異，才能理解莊子的創造概念，他的轉向可以由「體盡無窮，而遊無朕」（〈應帝王〉）概括之，在人生有無窮盡的體驗，這是經驗主義；而優游於沒有朕兆、形跡的地方，這是超越於日常意識的功名利祿的超越主義。

　　由於對老子概念思維的繼承與創造，莊子知道差異性之所在也就是創造性之所在。這樣或許可以看清〈內篇・逍遙遊〉一開始鯤化為鵬的神話。老子的道即深淵之道，「道沖而用之或不盈，淵兮似萬物之宗。」（〈第四章〉）以博大真人為大魚的化身未嘗不可，化而為鵬「怒而飛，其翼若垂天之雲」，由大海、深淵轉變為青天。海天之寥闊即為老、莊深心之所繫。水的元素變成風的元素。

　　　是鳥也，海運則將徙於南冥。南冥者，天池也。齊諧者，志怪者也。諧之言曰：「鵬之徙於南冥也，水擊三千里，搏扶搖而上者九萬里，去以六月息者也。」野馬也，塵埃也，生物之以息相吹也。（〈逍遙遊〉）

---

[8]　Gilles Deleuze and Felix Guattari, "What is Philosophy?" Hugh Tomlinson and Graham Burchell, (New York: Columbia Univ., 1994), p.5.

　　鵬是什麼鳥？《說文解字》上說：「鵬就是古文鳳字……鳳飛，群鳥從，以萬數……鳳，神鳥也……翱翔四海之外，莫（同暮）宿風穴，見則天下大安寧。」[9]鵬是鳳，是神鳥，吉祥之鳥，鳥中之王，居住在風穴，飛翔在四海之外。「鳳鳥也就是風神。《禽經》說『鳳禽，鳶類。越人謂之風伯。飛翔，則天大風。』」[10]如果知道鵬是風神，是風的來源，何至於只說「海運、扶搖、六息，都是說風，卻不曾露出風字。」[11]海運徙於天池，天池必在高山、高原。齊地的笑話記的是怪事。也就是不要太當真。但大翼像天上的雲彩垂下來，一鼓翼就水擊三千里，拍起旋風直上九萬里，一飛就飛六個月。但成玄英疏：「陽氣發動，遙望藪澤之中猶如奔馬，故謂之野馬也。」[12]也就是說你以為風是什麼？風是遊蕩的氣息掀起了塵埃，而是這來自生物以氣息互相吹蕩而激起的。風本來自萬物間互相吹蕩的氣息。並非有一物曰風，故只能詼諧地看風鳥。

　　但也不能只滿足於自我的氣息而滿足，那只能像蟬與斑鳩安於榆樹、枋樹，像小雀安於蓬蒿之間。「風之積也不厚，則其負大翼也無力」，但風之積仍不是等待外在的條件，否則像「列子御風而行，泠然善也，旬有五日而後反。彼於致福者，未數數然也。」（〈逍遙遊〉）故而列子的好神通，還是等待外在的條件，不能達到真正的幸福。

　　鵬是神鳥，所呼應的當然是神人：神人無功。

9　段玉裁《說文解字注》（臺北：蘭臺，1974），頁150。

10　何新《諸神的起源》（臺北：木鐸，1987），頁92。

11　宣穎《莊子華南經解》（臺北：宏業，1977），頁11。

12　郭慶藩輯《莊子集釋》（臺北：河洛，1974），頁6。

藐姑射之山有神人居焉，肌膚若冰雪，淖約若處子。不食
五穀，吸風飲露，乘雲氣，御飛龍，而遊乎四海之外。其
神凝，使物不疵癘而年穀熟。（〈逍遙遊〉）

遙遠的姑且影射有這麼一座山，神鳥翱翔於四海之外，神人
也遨遊於四海之外。對神人的描寫是肌膚吹彈可破，好像擦了雪
花膏似的，風姿淖約像處女一樣。這美少女哲學是莊子的少女之
變，甚至還有少女的瘦身哲學：吸風飲露。按照神鳥的方式應該
是呼吸就自成風，現在風和水成為她保全生命的憑藉。重要的是
走出日常的自我意識，不在人間以功用設想萬物，才使她的精神
能夠凝定專一。「其神凝」，神是道與德的中間位置，使農作物
不發生病變，年穀豐登成熟。這話看似「大而無當」，但「神」
是莊子獨創的概念，神人就有更重要的託付。在「至人無己，神
人無功，聖人無名」中，「聖人無名」是老子已有的概念，老子
「道隱無名」（〈四十一章〉），「道常無為而無不為。侯王若
能守之，萬物將自化。化而欲作，吾將鎮之以無名之樸。」
（〈第三十七章〉）「聖人無常心，以百姓心為心。」（〈第四
十九章〉）看來莊子是歸結到「聖人無名」的政治問題，而以
「堯讓天下於許由」一段解釋，答辯總歸結到一句：「名實者，
聖人之所不能勝也。」（〈人間世〉）一句，換言之，許由寧為
隱者，這樣政治問題豈非徒託空言，是不是成為「神人無功」的
以不治治之？至人雖是以「吾喪我」為道家實踐工夫入路，但
「至人神矣，大澤焚而不能熱，河漢沍而不能寒，疾雷破山風振
海而不能驚。若然者，乘雲氣，騎日月而遊乎四海之外。」
（〈齊物論〉）「神」在這裡雖然不當名詞「精神」，而當形容

詞「神奇」、「神妙」用,畢竟是精神達到玄妙的層次,「天地與我並生,萬物與我為一」的層次,道與德之間的一的層次。

德勒茲由無意識的粒子放射,出來說明分子的知覺;粒子一流的能量波造成分子知覺的改變,來說明變成女人是分子知覺的變化核心。「少女和兒童並不變化;變化本身是兒童或少女。兒童並不變成成人,少女也不變成女人;少女是每一性別的變成女人,正如兒童是每一性別的變成年輕。知道如何變老並不意味仍然年輕,它意謂著從一個人的年齡中抽出粒子,速度和緩慢,流,構成了那年齡的青春。知道如何去愛,並不意謂著仍然是男人或女人;它意味著從一個人的性別中抽取出粒子,速度和緩慢,流,幾個性別構成了那性別的女人。年齡本身是變成-兒童,正如性別,任何性別是變成-女人,即是說變成少女。」[13]因為社會邏輯本就是二元邏輯;如真、假,善、惡,美、醜,前者是上位概念,支配後者;另外如男人、女人、成人、兒童,也是上位概念支配下位概念。不僅如此,在日常意識起支配作用的「成心」(〈齊物論〉),根本還在有用、無用的觀念,例如〈逍遙遊〉中許由答復堯的話:「予無所用天下為!」這是「聖人無名」,故無名通「無用」。而由肩吾與連叔的對話引出「神人無功」,連叔曰:「孰弊弊焉以天下為事!」故無功通「無事」,在事上無所作為,故無事即是「無為」。到最後是以惠施抱怨魏王送他「大瓠之種」,即大葫蘆的種子,結實五石大既不能盛水漿,又不能為水瓢;又有大樹樹幹臃腫,小枝捲曲,也是

---

13 Gilles Deleuze and Felix Guattari, "A Thousand Plateaus: Capitalism and Schizophrenia." Brian Massumi trans., (London: Athlone, 2004), p.268.

無用之材。莊子的答復是你可以把大葫蘆繫在腰上成為「腰
舟」，浮在江湖上遊戲。另外：「今子有大樹，患其無用，何不
樹之於無何有之鄉，廣莫之野，傍徨乎無為其側，逍遙乎寢臥其
下。」（〈逍遙遊〉）無為、逍遙甚至遊戲都是莊子對無用的答
覆。那麼男人對女人的支配，成人對小孩的支配豈非正因為認為
他們無用嗎？其實德希達就很清楚的批判這種二元邏輯，甚至用
添補（supplement）邏輯取代二元邏輯。「添補的邏輯扭轉開了
形上學二元對立的整齊性，不說『A 對之於 B』，我有『B 乃是
加上給 A 並取代了 A』……它們只是自己的延異（differance）
於自己」[14]添輔的邏輯是被壓抑的對立項取代了原有二元邏輯的
上位概念。運用添輔邏輯，女人和小孩取代男人和成人。

　　當然我們可以問：為什麼不是變成男人？德勒茲認為：「男
人，只要男人呈現自己是支配的表現方式，聲明把自己加在一切
關係（matter）之上，而女人、動物和分子常有逃逸（flight）的
成分，逃避了它自己的形式化……。」[15]故主要是分子知覺的問
題，男人克制分子知覺的流動。

　　這樣就再舉一個例子，在〈齊物論〉結尾：

> 昔者莊周夢為蝴蝶也，栩栩然蝴蝶也，自謂適志與，不知
> 周也。俄然覺，則蘧蘧然周也。不知周之夢為蝴蝶與，蝴
> 蝶之夢為周與？周與蝴蝶，則必有分矣，此之謂物化。

14　Jacgues Derrida, "Dissemination." Barbara Johnson trans. and Intro.
　　(Chicago: Univ. of Chicago, 1981), p.xiii.

15　Gilles Deleuze, "Essays Critical and Clinical." Daniel W. Smith and Michael
　　A. Greco trans., (Minneapolis: Univ. of Minnesota, 1997), p.1.

　　蝴蝶之夢是「適志」，是適合自己的志向，即夢想；當然在夢中，日常的自我意識消失，故「周之夢為蝴蝶與，還是蝴蝶之夢為周與？」是無法區分的，但醒後必有分，否就患了妄想症。但是「夢蝶」完成了變形，是莊子走到莊子與蝴蝶的中間地帶。拉康派的哲學家齊澤克（Slavoj Žižek, 1949- ）也挺有勝義：「……對拉康（Jacques Lacan, 1901-1981），我們達到真實界（the Real）的硬核的唯一點的確是夢。當我們夢醒後在現實中，我們通常對自己說：『只不過是個夢』……只有在夢中達到了我們幻象一架構，決定了我們在現實中的活動和行動模式。」[16]夢接近真實，突破日常現實的封限，這也是「適志」，也可以決定我們的行動模式。但可以問一下：這蝴蝶之夢是男人之夢嗎？夢完成變形（metamorphosis），這是莊子在分子知覺上的變成女人，中間地帶。蝶變是變成女人，不是虎變和豹變（男人），「大人虎變，小人革面，君子豹變。」《周易・革卦・九五、上六》這還是真實界的闖入日常現實，而非德勒茲的創造模式。由此，我們知道兩者的距離。

　　南伯子葵問於女偊曰：子之年長矣，而色若孺子，何也？（〈大宗師〉）南伯子葵並非南郭子綦，城南種葵花的無名聖人並非城南以絲織為業的無名聖人。至於女偊，偊通踽，按莊子的命名習慣，是女性跛腳者，也是無名聖人，故有「聖人之道」。聖人之道是「外天下」、「外物」、「外生」、「朝徹」、「見獨」、「無古今」、「不死不生」，比南郭子綦的「聖人之道」

---

[16] Slavoj Žižek, "The Sublime Object of Ideology." (London: Verso, 1989), p.47.

層次複雜。按〈天地〉篇的宇宙生產模式看，也就是「道（無）、德、命、物、理、形來看」，「外天下」是在「物」的層次上，「形」本在「物」外，故「外天下」即是「外形」。「外物」就進入了「命」的層次，即是命運的層次。「外生」即進入了「德」的層次。「朝徹」是德之「明」，「見獨」是見德之特異性。「無古今」或「不死不生」只能說在「一」的層次，「無」與「德」之間的「一」的層次。「人籟」在「物」的層次，「地籟」在「德」的層次，「天籟」在「一」的層次。

　　總之，女偶是女的得道人，年長而「色若孺子」，豈非是姑娘與嬰兒一體？「外」的工夫同於「心齋」、「坐忘」，女偶的「外」家工夫所以特別，正在於「心齋」、「坐忘」均是儒家孔子、顏淵對談而假傳「道」旨，而顏淵家貧反而有孔子未知的勝義。女偶是「大宗師」，合至人無己、神人無功、聖人無名為一體。

　　列子在〈逍遙遊〉中有「御風而行」的神通，在〈應帝王〉中以壺子為師卻心醉於面相術的神通，經「壺子示相」開示後，「三年不出，為其妻爨，食豕如食人。於事無與親，雕琢復璞，塊然獨以形立。」為其妻爨就是男人、女人的易位，餵食豬像餵人，這就是「萬物與我為一」了。無事故無為，豈非逍遙於四海之外？

超越的經驗主義

　　「至人無己」提出了工夫入路的問題。

　　今者吾喪我，女知之乎？女聞人籟而未聞地籟，女聞地籟

> 而未聞天籟夫！……夫大塊噫氣，其名為風。是唯無作，
> 作則萬竅怒呺。……厲風濟，則眾竅為虛。……子游曰：
> 「人籟則比竹是已，地籟則眾竅是已，敢問天籟。」子綦
> 曰：「夫吹萬不同而使自己也，咸其自取，怒者其誰
> 邪！」

　　此段似可與〈逍遙遊〉對照。宋榮子居人籟之極，「彼於其世未數數然也。」列子居地籟的層次：「此雖免乎行，猶有所待者也。」至於至人、神人、聖人「……以遊無窮者，彼且惡乎待哉！」人籟是比竹而吹是人間的音樂，地籟是大地的音樂。風是大地吐出的氣，風不吹則罷，一吹所有的孔竅都怒嚎了，好像孔竅發出了聲音。不過狂風大作時的淒厲，所有的孔竅成為虛空。地籟是千萬虛空的孔竅，還是以風為外在性依待的條件。至於天籟是沒有外在性的依待條件曰風，是千萬不同的孔竅吹出不同的氣息而自己發出了聲音，怒嚎的除了自己還有誰呢？故而人籟是人間；地籟是萬物，但萬物是千萬虛空的孔竅；天籟是自然無待。

　　首先看到的實踐工夫是「吾喪我」吾：喪失了在日常意識有「成心」的我，也就是〈齊物論〉後文批判的「夫隨其成心而師之，誰獨且無師乎？」日常意識以成心為師。當莊子以「道（無）、德、物、形」（〈天地〉）取代老子的「道、德、物、勢」的概念時，形一身體得到很大的關注。在德與物的關係上，我（人）是放在物的概念這層次上，地籟要回到德的層次，孔竅的虛空，所謂「性修反德」（〈天地〉）。天籟的自然無非是「德至同於初」。也就是到道（無）與德的中間層次，「天地與

我並生，萬物與我為一」了。喪我是喪失了作為主詞的主體，
「吾」就作為比我更親密的內在層次，就至少得由物上溯到德的
層次。

德勒茲把自己的學說定位在超越的經驗主義（transcendental
empiricism）。在他生前發表最後一篇文章〈內在性：一個生
命〉中，他說：「什麼是超越領域？它能區別於經驗，在於它並
不參考一對象或屬於一主體（經驗的再現）。它因此出現為前主
觀意識的前反省的非個人意識的，無我意識的質的綿延的純粹之
流。」[17]總之是前於日常意識的無我領域，在莊子來說就是在於
德的層次。「吾」就是內在性的。這內在性在德勒茲有另一個名
稱：特異性。「因為『一個生命』總是特異的。它由『先個體
的』或『次個體的』『特異性』構成，然後連結到他者在非個人
的平面圖或『平面』，像『它在下雨』中的『它』（it），是生
命特異性的條件。多樣性常先於作為構成的自我或意識的個
人……。」[18]在個體生命之前的是特異性，個體生命就由先個體
的特異性構成；換言之，人（物）是由德構成。特異性即然是前
個體的，就是非個體的，故可以在非個體的「平面」連結到他
者。就特異性指涉存有（man's being 或 thing's being）而論，這
是單義存有論，這是一；但就萬物來說，其特異性就是差異性，
又是多。故德勒茲的魔術原則是：多元論等於一元論。[19]

---

[17]　Gilles Deleuze, "Pure Immanence: Essay on A Life." Anne Boyman trans., (New York: Zone Books, 2001), p.25.

[18]　John Rajchman, "The Deleuze Connections." (Cambridge: The Mit Press, 2000), p.84.

[19]　同註 12，頁 23。

　　當莊子說：「故形非道不生，生非德不明。存形窮生，立德明道。」（〈天地〉）形體沒有道是無法生出來的，但生命沒有前於個體（物）的德也就無法得到智慧。保存形體來窮盡生命，奠基於德來解明大道。他的立場奇怪地與德勒茲是一致的。德也就是單義存有（univocal being），「……這是因為尼采想像一個前個體特異性的世界。即沒有『誰』或『什麼』有許多性質；也沒有某人或某物在（is）。」[20]這也就是說在前個體的德上是沒有個人的，無己也就無名。而就可以連結到他者而論，這難道不是莊子所謂：「恢恑憰怪，道通為一」（〈齊物論〉）嗎？生非德不明，故立德以明道，是莊子的單義存有論。

　　對德勒茲，超越領域就是特異性。「只有當世界，聯合於匿名的和游牧的、非個人的先個人的特異性，展開了，我們最後才踏上超越性的領域。」[21]這無名的、遊戲的、無己的世界是超越性，難道不是莊子所謂「游乎四海之外」？

> 古之人，其知有所至矣。惡乎至？有以未始有物者，至矣，盡矣，不可以加矣。（〈齊物論〉）

　　德即在未始有物的層次，到此正「至矣，盡矣」，古之人其知能至於此，就是明──智慧。

---

[20]　Adrian Parr edited, "The Deleuze Dictionaty." (New York: Columbia Univ., 2005), p.83.

[21]　Gilles Deleuze, "The Logic of Sense." Mark Lester trans., (London: Continuum, 2004), p.118-119.

第八章 心善和性善：
孟子與天地同流

　　孟子是孔子的擁護者，也為後代確立「正統」的學說，不過「正統」一樹立，學統也會遭受壓抑或窒息。「老子在學術史上的地位，自戰國末年以來，不是屬於經學的首領，而是子學的首領。但是這個子學之首卻掌握了六藝之傳的史學。」[1]這是因為老子擔任周朝「柱下史」，所以老子的「正統」更過於孟子。

　　要辨乎孟子在儒家的正統性，恐怕得從子貢所說：「夫子之文章可得而聞也，夫子之言性與天道，不可得而聞也。」（《論語・公冶長》）的確孔子並未對性有明確概念，是有未清楚說明的人性「性相近也，習相遠也。」（《論語・陽貨》）相近的人性應是良善性，只不過被後天的習氣沾染而遷移。但性的概念與德的概念（「鄉愿，德之賊也。」（《論語・陽貨》））並未釐清，德並非一般講的道德，而是與老子德的概念重複，只不過在指涉上含糊。當孟子說出心、性、天三個概念的格局時，已確定成為儒家最重要的哲學家。這也是陸象山說：「夫子以仁發明斯道，其言渾無罅縫。孟子十字打開，更無隱遁。」（《陸象山全

---

[1]　方東美《新儒家哲學十八講》（臺北：黎明，1983），頁 47。

集》) 孔子是下學而上達的仁學,孟子「十字打開」就是一縱一橫,概念定義得非常明確。

在縱的方面,「盡其心者,知其性也。知其性,則知天矣。存其心,養其性,所以事天也。夭壽不貳,修身以俟之,所以立命也。」(《孟子‧盡心上》),本心是要面對世界的,放在德性實踐上說,「在孔子存有問題在踐履中默契或孤懸在那裡,在孟子,則將存有問題之性即提升至超越面由道德的本心以言之,是即將存有問題攝於實踐問題解決之,亦即等於攝『存有』於活動(攝實體性的存有於本心之活動)。如是,則本心即性心與性為一也。」[2]本心以孔子的仁心來說,一定實現於踐履活動,這就是道德的本心。性是存有,在孔子只是模糊地說「性相近」或「德」,或帶有空間的含義。他的「德」的概念已趨向良善,對比於習氣;孔子在天賦的德性來說,「天生德於予」就是道德性的成分高。故孟子將性提升到超越面,已成為孔子「天生德於予」那樣的高度。故孟子認為能夠窮盡個別的(其)心意於道德踐履中,就能夠知道個別的創造性、道德性或理想性。知道個別的創造性、道德性或理想性,就知道天道天命。故要常常持存本心涵養創造性、道德性或理想性,來侍奉天道、天命。

第一節　性的問題

性的問題,存有的問題被視為人之所以為人的本質,因而是實體的問題。孟子有點類似亞里斯多德下定義的方式,在生物學

---

[2]　牟宗三《心體與性體(一)》(臺北:正中,1973),頁 25。

分類中種是最基本的分類單位，用屬加上種差來定義，例如「人是有理性的動物」這樣，「人」和屬概念「動物」在種概念上所反映的差別，理性就成為人的本質。「人之所以異於禽獸，幾希。庶民去之，君子存之。舜明於庶物，察於人倫。由仁義行，非行仁義也。」（《孟子・離婁下》）就是這「幾希」的一點靈明，成為「性」的基本定位，這種差只是一丁點差別，「靈光一點，萬古不磨。」舜明瞭萬物考察人倫，就是由這點靈光（道德仁義）去實踐，不是他實踐道德仁義。也就是：「舜之居深山之中，與木石居，與鹿豕遊，其所以異於深山之野人者幾希。及其聞一善言，見一善行，若決江河，沛然莫之能禦也。」（《孟子・盡心上》）由君子到成為舜，也即是這樣由一點靈明存養擴充。孟子雄辯之義法，就展現在人禽之辨、夷夏之辨。其實孟子在與梁惠王見面說：「王何必曰利，亦有仁義而已矣。」（《孟子・梁惠王上》），此即所謂「義利之辨」，首須辨別正義與私利。「善言善行」觸動的是心，使心趨向良善，使一點靈光「若決江河」，沒有什麼能阻擋。

　　所以說當孟子說：「養心莫善於寡欲。」（《孟子・盡心下》）原來本心也須涵養，沒有比減少欲望更好的。「就是減少其他生理作用的干擾，這樣，心的本性才能表現出來。」[3]心理和生理原是互相影響、作用的領域，現在通過心理集中朝向某物而離開某物的活動，使心理集中成意志衝動，就可以統領我們的血氣。「夫志，氣之帥也；氣，體之充也。夫志至焉，氣次焉，故曰：『持其志，無暴其氣。』」（《孟子・公孫丑上》）孟子

3　徐復觀《中國思想史論集》（臺北：學生，1993），頁247。

當然清楚心理、生理的互相作用,故說:「志壹則動氣,氣壹則動志。」(同上)故意志活動專一則影響生理欲望,生理欲望專一則影響意志衝動。意志衝動成為生理血氣的主帥,生理血氣就可以充滿整個身體。意志衝動到了,生理血氣隨之而至。持守意志的方向,不要任生理血氣散亂。

那麼看看這幾個句子:「存心養性」、「養心莫善於寡欲」、「吾善養浩然之氣」,到底是養性、養心,還是養氣?到最後終歸是立志的問題!「從其大體為大人,從其小體為小人……耳目之官不思,而蔽於物;物交物,則引之而已矣。心之官則思,思則得之,不思則不得也。此天之所與我者。先立乎其大者……。」(《孟子·告子上》)孟子永遠是二分法:大與小,心與物,思與不思,意志與血氣,結果是答案非常明顯,你只能選擇上位概念。社會的邏輯是二元邏輯,上位概念真、善、美定然壓倒下位概念假、惡、醜。所以孟子「立志」立的是道德意志!

事實上孟子依孔子的仁學一路,與孔子並不相同!也許在縱貫一路上,尤其是心、性、天的關係,孟子顯示得清楚而朗現,但在橫貫一路上就不相同。孔子雖說是「仁智雙彰」,仁是內在,義、禮、智多少是外在。義是禮法:「孔子謂季氏:『八佾舞於庭,是可忍也,孰不可忍也?』」(《論語·八佾》)季氏不能僭越,用天子的禮樂!故而「人而不仁,如禮何;人而不仁,如樂何?」(《論語·八佾》)仁心由內發外,就像內容導致形式。仁心由內發外,智是外察,所以夫子「既仁且智」。「視其所以,觀其所由,察其所安,人焉廋哉?人焉廋哉?」(《論語·為政》)視、觀、察總是時間的過程,察看一個人做

事的態度，與他的心態。至於孟子，則把仁、義、禮、智收歸一心；這與孔子不同，孟子是外在的往內在收！

當孟子說：「無惻隱之心，非人也；無羞惡之心，非人也；無辭讓之心，非人也；無是非之心，非人也。惻隱之心，仁之端也；羞惡之心，義之端也；辭讓之心，禮之端也；是非之心，智之端也。人之有是四端也，猶其有四體也。」（《孟子‧公孫丑上》）仁心的往外推擴成為先將橫貫性交由縱貫性負責，成為心本有四個端倪，但這四個端倪成為人的「四體」，那就是把仁、義、禮、智作為我們的四肢，這就是前面引過的「由仁義行，非行仁義也。」（《孟子‧離婁下》）雖然說「孟子之指證此數種心之存在，則主要在直接就事上指證，亦即就我對其他人物之直接的心之感應上指證，以見此心即一性善而涵情之性情心。」[4] 人固有怵惕惻隱的天生心能，但「羞惡」的義，「辭讓」的禮，「是非」的智，在孔子都有社會判斷的意味，都有時間的意涵，所以孟子自己說：「孔子，聖之時者也。」（《孟子‧萬章下》）時間的概念就在於孔子是聖人中最「合乎時宜」的。

那麼對尼采這位喜歡作「不合時宜的沈思」（untimely meditation）的哲學家，把道德運用於社會判斷，自然也有些「沈思」。尼采同意人天生有種 pathos，這是希臘字，是一種天生會哀憐惻憫的感情，激情、動情力、動情哀感，但他提醒自己不要像北方道德家瞬即把它視為一種道德感。「我主要的命題：並沒有道德現象，只有這些現象的道德解釋。」[5] 這是尼采的透

---

[4] 唐君毅《中國哲學原論 導論篇》（臺北：學生，1993），頁96。

[5] Friedrich Nietzsche, "The Will to Power." Walter Kaufmann and R. J. Hollingdale trans., (New York: Random House, 1968), p.149.

視主義！當用道德主宰生命時，這種透視產生什麼結果？「道德之絕對地統治：一切生理現象由道德價值衡量和判斷。」[6]這是不是就是孟子的「道德形上學」？而且恐怕尼采在語言學上的認識，使他驅散了「主體」的幻相，「力量的量相等於驅力的、意願的、產生效果（effecting）的量──還有它不外是這驅使、意願和產生效果，和只由於語言的誘惑（和理性僵化於其中的基本錯誤），設想和錯誤地設想一切效果是由某些造成效果的，由某些『主體』所制約，可能看來不是如此。……但在行為、造成效果和變化之後沒有『存有』，『行為者』（doer）只是加在行為之後的虛構──行為是一切。」[7]驅使、意願和產生效果，只能視為力量，行為是一切，主體只是虛構，行為者只是類似行為的行為，好像有什麼力量造成閃電，其實閃電同時是它的力量。「語言的誘惑」就是如此，句子必須有主詞：就好比說，「它」閃電，好像閃電也有個「物自身」。一個句子的主詞，成為「主體」概念，並且以這種方式，投射到一切事物，成為其原因，所謂「物自身」（thing-in-itself）。

「科學家不會更好，當他們說『力量移動』，『力量造成』，諸如此類……我們整個科學仍然在語言誤導的影響之下，而且沒有除掉那小小的低能兒（changeling），就像康德的『物自身』。」[8]尼采將西方傳統形上學視為語言形上學的謬誤，當他講一切只有行為沒有行為者，有如道家的無我，當他

6　同上，頁152。

7　Friedrich Nietzsche, "On the Genealogy of Morals." Walter Kaufmann and R. J. Hollingdale trans., (New York: Random House, 1967), p.45.

8　同上註。

講一切都是變化而沒有物自身，使他的《道德系譜學》成為對康德《純粹理性批判》的批判。因而德勒茲認為康德的「超越（transcendental）原則是調節（conditioning）原則，而不是內在發生（genesis）的原則……在尼采那裡，原則決不是超越的；正是這些原則被系譜學取代。只有權力意志作為發生的和系譜學的原則，作為立法的原則，能夠實現內在的批判。」[9]力量是多樣和差異的原則，力量是大小、強弱、高貴或卑賤，甚至心理動機與力量－關係。

第二節　物自身

現在當孟子說：「我知言。」……「詖辭，知其所蔽；淫辭，知其所陷；邪辭，知其所離；遁辭，知其所窮。」（《孟子・公孫丑上》）言語終歸是社會性符號，雖然說孟子「以志帥氣」，還是需要經驗面的理解。偏頗的言辭，知道他被某些執著所蒙蔽；淫蕩的言辭，知道他被欲望所陷溺；邪僻的言辭，知道他離開了正義；逃避的言辭，知道他無言以對。道德意志即使有超感性的基柢，社會符號仍是感性層、經驗層。

「……總之，由心以見仁義禮智之性。這一層是道德實踐的心，不只是智的直覺之認識的心，而智的直覺亦含於其中。這就是攝智歸仁，仁以養智。」[10]這就是以康德學的概念架構，即上帝有智的直覺應可以認識到物自身，來說中國儒、釋、道三家俱

9　Gilles Deleuze, "Nietzsche & Philosophy." Hugh Tomlinson trans., (New York: Columbia Univ., 1983), p.91.

10　牟宗三《道德的理想主義》（臺中：東海大學，1970），頁 90。

能達此無限智心，能認識到價值義的物自身。如果暫時不理尼采對物自身概念的無情批判，看此架構特重「攝智歸仁，仁以養智」！「假定真有一智的直覺，而在此種直覺面前，物自身正好可以朗現並證成其為『物自身』。」[11]在中西哲學會通的路子上，繁瑣的步步辨析，理性自我是我手臂舉起的原因以說主體，物是就其明覺感應之為物以說行為物，最後成為「一心之朗現，一心之遍潤，一心之申展」。什麼，改造康德？學究式地展現超越的浪漫，離開知性的超越區分，或許我們還少點「幻相」。

　　孟子確實如尼采所說的「由一種距離的激情（pathos of distance），他們首先抓住權力去創造價值和為價值命名：他們為了有用性所必須做的！」[12]有用性（utility）當然是個奇怪的概念，尤其當禹為舜講皇帝的責任和義務是「正德、利用、厚生」（《尚書‧大禹謨》），以治理天下，「利用」不是暢通萬物之用嗎？當人是主體，萬物為客體，是不是「物自身」已被決定？當孟子說「夫君子所過者化，所存者神，上下與天地同流。」（《孟子‧盡心上》）他所展現的天德流行，所經歷過的人都被感召變化，而心所存主的則神妙莫測！這種意志的希望所帶來的激情使他超凡入聖，上下與天地一起流動運行！所以當孟子雄辯式地確立「三辨」：義利之辨、人禽之辨、夷夏之辨，的確是一距離的激情與不道德者劃開了距離，那對於人文化成的社會是「有用的」。當我們避免像海德格《康德書》冗長的概念辨析，至少推進到海德格的哲學視野中，你必須正視實在者的

---

[11] 牟宗三《智的直覺與中國哲學》（臺北：臺灣商務，1974），頁 115。
[12] 同註 5，頁 26。

（ontical）和存有論的（ontological）區分，「當儒家強調存有
和價值的不可分，海德格設想價值是實在者的。當然，海德格也
承認道德現象必有存有論基礎，無論如何，對他而言，存有能在
原則上與道德現象區分開。」13那也就是說對海德格而言，存有
是首要的，道德現象仍是實在者層次上的。

　　後結構主義的哲學家們倒是較從美學的立場去吸收康德哲
學，或許對我們了解儒家的欣趣也是有益的：「當歷史，諸如它
出現在感性的自然中，顯現給我們的完全相反：力量間的純粹關
係，趨勢間的衝突，像幼稚的虛榮交織著瘋狂之網，感性的自然
仍然總是按照自己的法則。」14力量與衝突成為歷史的實在，這
是「瘋狂之網」。然後「自然的設計，還有第二個策略（ruse）：
就是「超感性的世界想要感性依照它自己的法則進行，甚至在人
之中，是為了最後能接受超感性的效果。」15感性按照感性的法
則，是為了最後接受超感性的效果，這種辯證法恐怕才是康德最
後的「策略」。無論如何，德勒茲對康德的詮釋，留下的是美學
空間。至於德希達的解構，說根本沒有美與崇高的區分，「康德
的鬱金香仍然是自然的，絕對野生的。……其中目的性的沒有一
目的或沒有概念就顯露出來。」16美仍是自然的、野生的，美也

13　陳榮灼（Chan Wing-cheuk）《海德格與中國哲學》（臺北：雙葉，
　　1986），頁111。
14　Gilles Deleuze, "Kant's Critical Philosophy." (U.S.A.: Minneapolis, 1990),
　　p.75.
15　同上。
16　Jacques Derrida, "The Truth in Painting." Geoff Bennington and Ian
　　Macleod trans., (U.S.A.: Univ. of Chicago, 1987), p.85.

來自崇高！

　　當孟子說：「大人者，不失其赤子之心者也。」（《孟子‧離婁下》）超越的心、先驗的心，是如此天真、善良，渾然忘記世俗的功利，而滿心是道德意志充塞了宇宙。這樣的超越性幾全在縱貫面，橫貫性已全收入縱貫性，那麼橫貫性會不會有所不足？孟子自己說：「萬物皆備於我矣。反身而誠，樂莫大焉。」（《孟子‧盡心上》）仁、義、禮、智俱為人與人之間的「關係」，如何成為「萬物」與「我」之間的「萬物皆備於我」？重點是仁心的推擴出去，這在某些程度而言，也是所謂「良知心坎陷」（牟宗三語）的奧義。「『心』顯然代表主觀性原則。『心』為道德心，同時亦為宇宙心（Cosmic mind），其精微奧妙之處是很難為人理解的。」[17]主觀性原則要成為宇宙的普遍性原則，與客觀性原則合一，就是天人合一，這是儒家的氣魄承擔！但「潤物」無外，「感通」自無外，這「主體性」要能成為中國文化的主體性，就不侷限於孟子，而是儒、釋、佛三家均要能與西方思潮相會通。

　　當孟子說：「聖人先得我心之所同然耳。故理義之悅我心，猶芻豢之悅我口。」（《孟子‧告子上》）這已不是孔子「任重而道遠」，而是一種道德的熱情！孟子建立的是同一性哲學！

　　孔子說：「仁者先難而後獲。」（《論語‧雍也》）實踐仁德有艱難的過程，才有所獲。正如尼采說：「使生命艱難些便是藝術。」也可放在美學原則來看。孟子說：「故天將降大任於斯人也，必先苦其心志，勞其筋骨，餓其體膚，空乏其身，行拂亂

17　牟宗三《中國哲學的特質》（臺北：學生，1973），頁 50。

其所為，所以動心忍性，增益其所不能。」（《孟子・告子下》）人的一生歷經多少艱難痛苦，都是在心志上的磨練，使他的筋骨勞累，使他的身體感受飢餓，使他的生命感受窮困，使他的行為都不能如意，為的是要動盪他的心意使他性格更能堅忍不拔，來增益他前所不能的能力。這像是孟子艱苦卓絕的經驗主義！或者是：在一個「邪說暴行」的年代，尤其是「率獸食人」的年代，在一切的混亂之上，懸著我們對時代無可推諉的：超越性的重責大任。

第九章　要記憶還是創造？
——中國文化的未來

　　《四書》和《五經》是儒家經典，《四書》是小《五經》，《五經》是大《四書》，但《五經》的輝煌也使中國文化有了沈重的頭顱！

　　《詩經》是古老的詩歌總集，總有深沈的詩思與感受。《書經》[1]是上古的或者夏、商、周的帝王政事文獻，並不容易讀。《禮經》首先是《周禮》：「周官一經，蓋孔子授之七十子，口義流傳。」[2]不過現在我們面對的是《三禮》：《周禮》、《儀禮》、《禮記》。孔子學《易經》當然也是《周易》，孔子說：「吾欲觀殷道，是故之宋，而不足徵也，吾得坤乾焉。」（《禮記・禮運》）此事最可疑，此事《史記・孔子世家》也有記載，如果《易經》除了占卜之外，也沈澱出人生智慧，那麼在概念思惟說得通，就是《坤乾》埋藏著殷商之道的奧義！當然《易傳》是孔子的傳承。如果破除以傳解經的成規，我們就與孔子一樣直面《周易》，如果我們將〈坤卦〉放在〈乾卦〉之前，我們就面

---

[1]　方東美曾特別談《尚書》，《原始儒家道家哲學》（臺北：黎明，1983）。

[2]　熊十力《論六經》（臺北：明文，1988），頁15。

對孔子不得其解而錯過的《歸藏》易。至於《春秋》，如果根據魯國史也就罷了，我們面對的是《春秋三傳》：《左傳》、《公羊傳》、《穀梁傳》，還要去尋索其中的微言大義。

另外看孔子問禮於老聃一事，似也證據確鑿，無論《史記‧孔子世家》或《禮記》裡老子所言均是穩穩當當的道家義理，那麼孔子也視其師老子為神龍見首不見尾的人物，神妙莫測。

以傳解經的成規，讓《五經》增生，這些傳注都取得了經的成分，想想看：《尚書》、《三禮》、《春秋三傳》也都增殖到《十三經》中，一代代累積下去的文獻該有多少！固然以上三者，我們新一代的哲學家不必然感興趣，甚至即使承認《易傳》是孔門講授的偉大創造，我們甚至喜歡避開儒家的解釋，直面《周易》時，就覺得〈乾卦〉、〈坤卦〉的順序彆扭，是有改變其順序的痕跡，是周文王、周公等偷天換日的手段！經文簡單化，其概念思惟與意象思惟就相當簡單明確！哲學只關心結晶而成的概念：《易經》、《老子》、《莊子》號稱「本土三玄」，就是概念不易釐清；故《易傳》尚且如此，何況《周易》，更何況《歸藏》易。

一個縱貫垂直的傳統文化，最難抵抗橫貫水平的文化沖擊！你被迫要去消融、會通，我們中國文化在消融、會通印度佛學，花了至少一千年，帶來的是佛學中國化，中國文化始有佛學的視野，華嚴、天台、禪宗成為中國哲學家的驕傲。那麼面對二十世紀的西潮沖擊，又要花多少時間？我們只有敞開心胸，才能在文化空間中沖激出沃野平原。

可惜的是：我們的國文教學和英文教學，長久以來都沒有面對西潮挑戰時該有的裝備！未來的哲學家要更輕快地迎接新潮。

第一節　新儒家之路

熊十力警語有力，「余誠弗忍負所學以獲罪於先聖也。」就如古儒現身，《原儒》重在證量：「吾人唯於性智內證時，（內自證知，曰內證。禪家云，自己認識自己。）大明洞徹，外緣不起。（神明內斂時不緣慮外物故。）奠然無對，（渾然與天地萬物同體，故無對。）默然自了，是謂證量。」[3]量即知也，自證自知，自性與天地萬物是同一性。對古書之嫻熟，反覆申說，自造警句，自己疏解，哲學在於：「會萬有而識其原。窮萬變而得其則。極天下之至繁至雜而不憚於求通也。極天下之至幽至玄，而不厭於研幾也。極天下之至常至變，而不倦於審量也。」[4]有若直面先哲。

熊十力認老子本出於《周易》！其實他對孔、孟及宋明理學也有重要的評判：「論語句句是存養心性工夫，而確不曾把心性當作一物事來持守。孟子便不似聖人神化，漸為宋儒開端。然其文字間處處見剛明爽快。未至若宋儒死煞……大概學孟子未得，卻受佛教影響……宋儒此等態度，於博文工夫最妨礙。」[5]這與方東美評判自孟子起有所謂「正統」之說，於學統最為妨礙，可謂如出一轍。

新儒家八大家熊十力、張君勱、梁漱溟、馮友蘭、方東美、唐君毅、牟宗三、徐復觀。後四位在臺灣。方東美 20 歲（1919）即參加「少年中國學會」，發表柏格森論文，25 歲取

3　熊十力《原儒》（臺北：大明王氏，1975），頁 17-19。
4　熊十力《十力語要》（臺北：廣文，1974），〈卷二〉，頁 50。
5　熊十力《讀經示要》（臺北：廣文，1975），頁 102。

得美國威斯康辛大學哲學博士學位，1948 年任臺灣大學哲學系
主任，在中央大學時曾與熊十力同事，行文則桐城派散文，英文
則文雅的維多利亞英文，對西方哲學傳統信手拈來，揮灑自如。
方東美的講課引人入勝，譬如民國 38 年至 46 年間，前後共 4 年
講「人生哲學」談希臘的哲學智慧，他可以自三位希臘悲劇詩人
Aeschylus〈普羅米修士之縛〉、Sophocles〈伊底帕斯國王〉到
Euripides〈酒神讚歌〉這三部劇作的內容展開希臘悲劇的智慧，
再來討論希臘精神三大潮流酒神精神、阿波羅精神、奧林匹亞精
神，並探討尼采、叔本華的悲劇智慧。近歐又分析文藝復興精
神、巴洛克精神到洛可可精神。[6]真是汪洋恣縱，又及斯賓諾
莎、黑格爾、懷海德。談原始儒家則自《尚書》、《周易》始，
其弟子多出洋留學，在西學上有成。他對孟子亦有批判：「他無
形中為後代開了個『道統』的觀念。儘管孟子有『浩然之氣』，
此『浩然之氣』流行的境界是『上下與天地同流』，其精神氣魄
宏大無儔，卻也缺少寬容的心量……」[7]與熊十力相似也若此。

　　唐君毅是熊十力、方東美共同的學生，兩大師加持，學說最
早成熟。感受細膩、思想綿密，自謂「下筆不能自休」，可見玩
味純熟、精義入神也若此。於師友則宛轉迴護；如牟宗三的「良
知坎陷」說：「由良知自己決定轉化出了別心，以與物相對，以
成就知識之說，有類於熊先生於良知之發用說中，包涵一量度物
之格物之事而說。」[8]此乃縱貫性之良知「自我否定自己」以決

6　方東美《人生哲學講義》，黃振華筆記（臺北：時英，1993），頁
　　123-157。
7　方東美《新儒家哲學十八講》（臺北：黎明，1983），頁 7。
8　唐君毅《中國哲學原論　導論篇》（臺北：學生，1993），頁 359。

定橫貫性的格物，否則什麼叫「坎陷」？解說至此應戛然而止，唐君毅卻以〈知識之知與德性之知的四種關係〉作結論，難耐！另外談〈老子言道之六義〉中「同德之道」也有重要評判：「故老子所謂道之同於德之義者，此在老子書中，實較少。申此義以泯道德之分者，乃莊學而非老學。」[9]他由老子「人法地，地法天，天法道，道法自然」四句，引申出「涵有人由法地以法道，人由法天以法道，人直接法道，與人法道之自然為四層面之事。」[10]最可見其心思細膩，但如果不是像唐君毅以人通貫此四層面，而是「人」只能「法地」，而地卻要「法天」向上伸展，而「天」不能超越而如如不動終會顯出「否」態，故「法道」之動蕩無已，而「道法自然」不僅是法自然無為，而且法自然鼓蕩萬物、變化不已。這又當如何！？第一句「人」為主詞，第二句「地」為主詞，第三句「天」為主詞，第四句「道」為主詞。而自然非自然無為，而是變化不已。唐君毅逝後，牟宗三稱其為「文化意識宇宙之巨人」，是贊其文化意識感特為強烈，但在哲學上要扣緊概念、稱理而談，才能成為「文化宇宙之巨人」，這點保留是給自己──「古今無兩」。

　　牟宗三較能扣緊概念、稱理而談，在概念上頗為警策。但他寫書的方式常是繁徵博引、書中有書。例如《才性與玄理》中談王弼，就引〈三國志‧鍾會傳〉中所提王弼數語，何劭為王弼傳曰就占了近兩面！為說明王弼易學之歷史因緣，說：「湯用彤先生在《魏晉玄學論稿》中，疏之甚詳，其意是王弼之新易學與荊

9　同上，頁379。

10　唐君毅《中國哲學原論　原道篇》（香港：新亞，1973），頁 293-294。

州劉表幕下之新學風有關，茲簡述其言如下。」[11]其下簡述就占近四面，郭象注莊，就引莊子原文，引郭象注，再來案語，如此寫法就成一大套機括，讀來神經頗受折磨；很難「逍遙遊」，很難契應道家之玄理玄智。《智的直覺與中國哲學》、《現象與物自身》似在中西會通，但你在陪伴康德思考，一段段康德譯文直譯插入，不辭繁瑣，「真理之路」變得如此艱澀，到最後他又出了康德《三大批判》譯本。《心體與性體》三大冊，再加上《從陸象山到劉蕺山》成為第四冊，也要陪康德思考，史密斯的英譯大概也不致如此生澀。講學疏解，義理有得宜不得宜，所以一字不肯馬虎。如此磚頭書，會不會「若宋儒死煞」？會不會「較少寬容」？「牟宗三的『基本存有論』在思想內容上，除了是中國儒家中陸王思想體系的復活，不能是其他。」[12]不過他幾冊演講集如《中國哲學十九講》等均頗獲好評！尤其《中國哲學的特質》釋儒家「剛明爽快」。

　　徐復觀年紀較唐君毅、牟宗三為長，早歲留日進武官學校，至40歲方入熊十力門下。他曾為蔣中正總統侍從官，官拜少將。他的代表作當為《中國人性論史　先秦篇》，他對概念的釋別多簡單明瞭，如解釋老子道和德的關係：「德是道的分化。萬物得道之一體以成形，此道之一體，即內在於各物之中，而成為物之所以為物的根源；各物的根源，老子即稱之為德。」[13]但他有時

11　牟宗三《才性與玄理》（臺北：學生，1975），頁84 88。

12　胡偉希《傳統與人文　對港臺新儒家的考察》（北京：中華，1992），頁168。

13　徐復觀《中國人性論史　先秦篇》（臺北：臺灣商務，1977），頁337。

或有些日本學界考證的興趣，進入國學的範圍。另外竟以胡塞爾現象學來談中國藝術史，完成《中國藝術精神》，還有姊妹作《中國文學論集》。他的興趣廣泛，還有《學術與政治》論集。

　　新儒家們其實對佛學的詮釋也令人眼目一新，熊十力竟寫出《新唯識論》的著作，方東美欣賞華嚴宗，講課紀錄有《華嚴宗》上、下二大冊。唐君毅認華嚴宗為圓教，「不讀華嚴，不知佛富貴！」論者以華嚴宗與黑格爾相比。牟宗三認天台宗為圓教，卻有些現象學的存在主義式的。新儒家已成過去，新道家正待興起！

第二節　望海潮

　　總而言之，二十世紀是中西思潮交會的世紀，也是西潮衝擊的時代，你必須「出去了，再回來！」才能產生有力的交會。就在二十世紀二十、三十年代，法國年輕的知識分子都在爭相質疑：為什麼都是德國哲學家？我們法國思想的未來在哪裡？當時他們著迷的是 3 個 H，分別是黑格爾、胡塞爾、海德格。後來他們以三個懷疑主義大師為目標，那就是尼采、馬克思、佛洛伊德。尼采針對縱貫性（傳統）的批判，馬克思針對橫貫性（社會）的批判，佛洛伊德針對深度性（潛意識）的批判。而後，從結構主義到後結構主義，法國思想家風起雲湧，一直到九十年代以後新星崛起，情況未曾稍變。

　　我們上世紀二十、三十年代的思想家面對世界開放，與世界同步，一直到中日戰爭，兩岸分治，即使新儒家作為中國文化的代言人，我們對於西潮的吸收並未停止。縱使康德、黑格爾的主

體性強，可以與儒家會通，懷海德可與《易經》會通，至少不到海德格的存有哲學，很難朗現老子哲學的精采；不到後結構主義的德勒茲與德希達，很難朗現莊子哲學的精采。那麼對於佛家，西方發展一世紀以來的精神分析乃至精神分裂，有無助益呢？

　　譬如說：「故我們疏通中國的哲學傳統，結果其重點就落在生命，其代代傳下來的為性理、玄理、空理，也即儒釋道二教。」[14]這就好像西方的傳統不在生命。西方在十九、二十世紀出現了一些思想家，例如以叔本華、尼采為生命哲學的奠基人，以柏格森、詹姆士、狄爾泰、西梅爾為主要代表，也包括胡塞爾、舍勒、海德格。[15]心態也要有足夠的正視！我們在文化思想的前沿，對 1968 年的法國後結構主義思潮德勒茲（甚至加塔利）、德希達、福柯、利奧塔等等也應該更為重視。

　　現在已是二十一世紀，距離上世紀的五四運動剛過 100 年，對世界的思潮要有同步的感應。我們雖可在網上沖浪，「在家就是在世界！」中國哲學仍是得架好自己的衛星基地台。借用郭象的一句話：「游外以弘內，無心而順有。」敏銳地觀注吸收上世紀九十年代以後興起的文化界新思潮，直到我們成為創造性自身！加塔利說：「……與其說轉向了對過去的眷戀與回歸，不如說轉向了當前的實踐。這是關於流與抽象機器的無意識……。」[16]對於這股令人瞠目結舌的新浪潮，我們無可選擇：只有上去沖浪！

14　牟宗三《中西哲學會通十四講》（臺北：學生，1990），頁 31。

15　費迪南‧費爾曼《生命哲學》，李健鳴譯（北京：華夏，2001）。

16　菲利克斯‧加塔利《混沌互滲》，董樹寶譯（南京：南京大學，2020），頁 14。

尾聲：師徒之間

「自黃帝以迄周初，諸子未興，衹有道家一家之學。」[1]孔子是老子的學生，17歲就在旁學習葬禮。

當孔子說老子：「吾聞老聃博古通今，通禮樂之源，明道德之歸，則吾師也。」而他對弟子說：「吾今日見老子，其猶龍耶！」這是弟子對老師神龍莫測的敬畏之情。

史官是世襲的，當孔子對老子所承襲的殷商之道，想要探源索隱時，曾到宋國去。代表殷商之道（真理）的《歸藏》易，只是《坤乾》。這與孔子習見的《周易》不同，乾坤顛倒！《歸藏》首坤次乾，《周易》首乾次坤；孔子以為只是「排法不同」，但也由此「錯過了」殷商的真理，歷史的實在！《歸藏》易是殷商的真理，歷史的實在！

故而《歸藏》易還在，只是被周朝周文王或周公偷天換日，《周易》改為首乾次坤。有創造性的是《歸藏》，偷天換日的是《周易》；孔子感動於周公制禮作樂，以仁為「禮樂之原」，禮樂之道。

老子說：「道生之，德蓄之，物形之，勢成之。」為道家開山人物。孔子說：「志於道，據於德，依於仁，游於藝。」為儒

1　江璜《讀子卮言》（臺北：成偉，1975），頁51。

家開山人物。試問，哪有兩個大哲學家會有兩個基本概念「重複」！這「志於道」會不會是老子之道，或老子承襲的殷商之道？孔子逐漸以天的超越性釋道。

　　孔子晚而喜《易》，《易傳》是孔子的講習發明，一大創造！《歸藏》易是古經，《周易》偷天換日，改為首乾次坤，《易傳》是儒家創造。

國家圖書館出版品預行編目資料

《歸藏》易──中國失落的開端

趙衛民著. – 初版. – 臺北市：臺灣學生，2020.10
面；公分

ISBN 978-957-15-1836-7 (平裝)

1. 經學

091.83   109013757

《歸藏》易──中國失落的開端

著　作　者　趙衛民
出　版　者　臺灣學生書局有限公司
發　行　人　楊雲龍
發　行　所　臺灣學生書局有限公司
地　　　址　臺北市和平東路一段 75 巷 11 號
劃 撥 帳 號　00024668
電　　　話　(02)23928185
傳　　　眞　(02)23928105
E - m a i l　student.book@msa.hinet.net
網　　　址　www.studentbook.com.tw
登記證字號　行政院新聞局局版北市業字第玖捌壹號
定　　　價　新臺幣三五〇元
出 版 日 期　二〇二〇年十月初版
I　S　B　N　978-957-15-1836-7

09110